Een draak van een zaak!

Een draak van een zaak!

Monique van der Zanden
Met tekeningen van Walter Donker

LEES N!VEAU

	ME	ME	ME	ME	ME				
AVI	S	3	4	5	6	7	P		
CLIB	S	3	4	5	6	7	8	P	

detective, fantasy

Toegekend door Cito i.s.m. KPC Groep

1e druk 2008
ISBN 978.90.276.6907.0
NUR 283

© 2008 Tekst: Monique van der Zanden
Illustraties: Walter Donker
Uitgeverij Zwijsen B.V., Tilburg
Vormgeving: Rob Galema

Voor België:
Zwijsen-Infoboek, Meerhout
D/2008/1919/246

Inhoud

Een raadselachtig ei

'Hé ... gaaf!'
Met piepende banden remde Raaf voor iets wat onsmakelijk geplet op het fietspad lag. Het was een reusachtig ei! Beter gezegd: het was een reusachtig ei geweest, tót het op het asfalt gevallen en opengebarsten was.

Raafs mountainbike maakte een bloedstollende slinger en kwam zowat achterstevoren tot stilstand. Even later hurkte hij bij de smeerboel neer en porde er voorzichtig met een gevorkte tak in. Er zat een jonkie in, morsdood natuurlijk.

Raaf was gek op alle bijzondere dingen die hij in de natuur vond: eieren, schedels, stenen, uilenbraakballen, schelpen. Hij had zelfs ooit een compleet gewei gevonden!

Hij wist er ondertussen ook behoorlijk wat over te vertellen: hij kon aan een veer de gevleugelde eigenaar herkennen, wist welke schedels van welke dieren waren, en hij kon een merelei onderscheiden van een spreeuwenei. Maar dit ei, donkerbruin met diepgroene spikkels en zo groot als een super-de-luxe paasei, kon hij niet thuisbrengen, hoe hij zijn geheugen ook pijnigde.

Ook het beest in de gebroken eierschaal was hem een

raadsel. Nu was het zo plat als een dubbeltje; dat maakte het er natuurlijk niet gemakkelijker op. De mensen op het fietspad waren gewoon over het stukgevallen reuzenei heengereden en ze hadden van het jonkie dat erin zat appelmoes gemaakt!

Het was groot, te groot voor een vogel, overdacht Raaf met half dichtgeknepen ogen. Misschien was het een babykrokodil! Alhoewel ... uit het lijfje stak iets wat op een vlerkje leek. Legden vleermuizen zulke grote eieren? Welnee, vleermuizen legden helemaal geen eieren. Dat waren geen vogels maar zoogdieren; die kregen hun baby's net als mensen.

Raaf werd steeds nieuwsgieriger en opeens besloot hij de smurrie van het fietspad te schrapen en mee te nemen om thuis te onderzoeken. Hij speurde rond en zag een stuk plastic fladderen aan de stekelige takken van een meidoornstruik die langs het fietspad groeide. Raaf peuterde het plastic uit de venijnige doorns en schepte er met zijn gevorkte tak de resten van het verpletterde reuzenei in. Daarna trok hij de schoenveter uit zijn linkersportschoen en bond het pakketje stevig dicht.

Hij was daar zo ingespannen mee bezig dat hij niet opmerkte hoe een fietser hem langzaam en slingerend naderde. Het was een man op een gammele, piepende, fiets, diep weggedoken in een vettige groene jas met capuchon. Het leek alsof hij iets zocht. Toen de fietser Raaf neergehurkt zag zitten op het fietspad schrok hij

en gooide met een binnensmondse vloek zijn stuur om. Met fiets en al verdween hij in het struikgewas langs het pad. Twee priemende ogen loerden vanuit de capuchon naar Raaf.

'Deksels jong,' siste een boze stem.

Balthazar Kriep

Toen Raaf thuiskwam en zijn mountainbike tegen het ijzeren tuinhek smeet, bleef de lus van de schoenveter die het bundeltje plastic bijeenhield achter zijn versnellingshendel haken. De veter schoot los en het reuzenei tuimelde voor de tweede keer op de grond.

'Néé!' foeterde Raaf geschrokken.

Zuchtend knielde hij neer en begon de brokstukken bij elkaar te rapen. Gelukkig kon het allemaal niet veel méér kapotgaan dan het al was toen hij het vond!

Plotseling viel er een donkere schaduw over Raafs hoofd en een stem vroeg: 'Wat heb je daar voor belangwekkends, jongen?'

Met een ruk keek Raaf op ... recht in de spiegelende zonnebril van zijn overbuurman, meneer Balthazar Kriep.

Meneer Kriep lag eruit in de buurt. Zijn huid was lichtbruin, hij had een pluizige, zwarte baard en droeg bijna altijd een zonnebril. Bovendien ging hij gekleed in een 'soepjurk' zoals Raafs vader het kledingstuk spottend noemde, maar Raaf wist dat de officiële naam van het gewaad 'djellaba' was.

'Hij doet altijd zo ontzettend geheimzinnig,' klaagde mevrouw Heilzaam van nummer zes tegen iedereen met wie ze een praatje maakte, en dat waren nogal wat mensen.

'Hij veegt zijn tuinpad nooit en in zijn achtertuin is het een verschrikkelijke bende,' snoof meneer Driest, de buurman van Kriep, die zelf elk voorjaar zijn plantjes langs een liniaal in de grond zette.

'Het zou me niks verbazen als die vent een terrorist was,' had Douglas Brownie van nummer drie Raafs vader een keer toevertrouwd. Douglas was vorig voorjaar geëmigreerd vanuit Amerika en had bij de FBI gewerkt!

Je hoorde nooit iets goeds over Kriep, en Raaf deinsde geschrokken achteruit toen zijn overbuurman zich geïnteresseerd over de eierprut op de stoeptegels boog.

'Hoogst merkwaardig,' mompelde Kriep. Hij zette zijn roestige damesfiets tegen een lantaarnpaal en trok een vergrootglas tevoorschijn uit de binnenzak van de groene jas die hij over zijn djellaba droeg.

'Het is van mij!' zei Raaf fel en hij frommelde haastig het plastic bij elkaar.

'Natuurlijk,' suste Kriep, en door zijn accent klonk het als: natoerliek. 'Maar weet jai, iek ben benieuwd ien welke bom ...'

Raaf luisterde niet meer maar sprong op en riep: 'Mijn moeder roept dat ik moet eten, dág!'

Als een wervelwind verdween hij over het tuinpad naar achteren, Kriep hoofdschuddend achterlatend bij het hek.

Op zijn slaapkamer drongen de laatste woorden van de overbuurman pas tot Raaf door. Had Kriep het nou over een bom gehad? Wat had een bom met Raafs vondst te maken? Hij fronste zijn wenkbrauwen terwijl hij het plastic op zijn bureau uitspreidde en naar de inhoud staarde.

'Raaf, Raaf!' gilde een meisjesstem van beneden.

Het was Vikkie, zijn zusje.

'Wat wilde Creepy Kriep van je, daarbuiten?'

Raaf slenterde de trap af, de slaapkamer van Vikkie in, die naast de woonkamer op de begane grond was. Door het raam zag hij nog net hoe Kriep met gebogen schouders door zijn bladderende voordeur verdween.

'Niks bijzonders, ik had iets laten vallen en hij was er nieuwsgierig naar.'

'Wat had je laten vallen dan?'

'Een mega-ei dat ik gevonden heb op het fietspad bij de Horatiussingel. Het jong zat er nog in!'

'Een mega-ei? Van welk beest?'

'Dat ga ik uitzoeken, want het is een idiote mengelmoes van klauwen, snuit en vlerken. Ik dacht eerst dat het misschien een krokodillenei zou kunnen zijn!'

Vikkie giechelde: 'Een krokodil met vlerken! Volgens mij heb je een drakenei gevonden!'

Raaf rolde met zijn ogen. Ja hoor, daar had je zijn zus met haar achterlijke draken weer. Ze verslond stapels drakenboeken, keek naar drakenfilms tot ze vierkante ogen had, en had zelfs drakenbehang op haar kamer.

Vikkie draaide aan de wielen van haar rolstoel en reed soepel naar haar slaapkamerraam waarvoor een telescoop stond opgesteld. 'Kriep raapte iets op van de stoep toen je weg was,' vertelde ze.

'Kriep raapt altijd van alles op,' bromde Raaf. 'Daar verdient hij de kost mee. Daarom ligt zijn achtertuin vol rotzooi die hij opknapt en daarna verkoopt. Weet je, dat was trouwens wel raar; toen hij mijn ei zag, begon hij over een bom of zoiets ...'

Vikkie snoof minachtend en zei: 'Douglas Brownie heeft gelijk, zo'n griezel als Kriep moet je donders goed in de gaten houden. Het kan best zijn dat hij stiekem bommen in elkaar knutselt op zijn achterkamertje!' Vikkie dacht even na en fantaseerde: 'Misschien wil hij daarvoor jouw mega-ei wel gebruiken, want bommen kun je maken van doodnormale huis-tuin-en-keukendingen. Wist je bijvoorbeeld dat buskruit wordt gemaakt van houtskool en zwavel? Zwavel zit gewoon in vogelpoep!'

'Hm,' zei Raaf, nadenkend in zijn neus peuterend.

Buiten klonk het piepen van een roestige fiets die langsreed.

Een indringer

De hele avond grasduinde Raaf in zijn natuurboeken, maar nergens vond hij een plaatje dat sprekend op zijn ei leek. Hagedisseneieren kwamen in de buurt, maar het verpletterde ei dat hij gevonden had op het fietspad was veel groter geweest, en bovendien hadden hagedissen geen vlerken.

Kriegelig ging hij beneden een beker chocolademelk drinken, waar zijn moeder zei: 'Ik hoorde van Vikkie dat je een kapotgevallen struisvogelei of zoiets gevonden hebt, Raaf. Je mag die vieze stinkrommel niet in je slaapkamer bewaren, hoor!'

'Ik zal het schoonmaken en dan ruik je er geen sikkepit meer van, mam.'

'Nou, dan leg je het tot de schoonmaak maar in de schuur; daar heeft niemand er last van.'

Zuchtend deed Raaf wat zijn moeder zei. Daarna ging hij haar helpen met de installatie van hun splinternieuwe computer, tot het bedtijd was.

Rond middernacht werd Raaf wakker van het geluid van brekend glas. Slaapdronken probeerde hij te besluiten of hij het wel of niet had gedroomd. Met gespitste oren luisterde hij een paar minuten, maar behalve het geraas van een vrachtwagen hoorde hij niets meer en hij doezelde weer weg.

Hij droomde dat iemand zich over hem heen boog en even later dat hij muizen hoorde ritselen, of waren het geen muizen? Toen sleurde een schuimende golf hem de zee in en spoelde hij aan op een piepklein eilandje waar in een palmboom een reusachtige vogel zat. 'Koeloeri-koe!' schreeuwde het beest en legde een ei. Het viel precies op Raafs hoofd, zodat het struif kledderig langs zijn oren droop.

Met een schok ontwaakte Raaf. Het was volop licht en buiten zongen de vogels. Toen hij op zijn wekkerradio keek, was het halfzeven. Er was iets vreemds ... Plotseling zag hij het: zijn spijkerbroek, die hij gisteravond over zijn bureaustoel had gehangen, lag op de grond! Ongerust liet Raaf zijn blik door zijn slaapkamer glijden en kreeg weer een schok. De laden van zijn bureau zaten niet goed dicht, alsof erin gerommeld was!

'Er is hier iemand geweest ...' fluisterde hij ongelovig, terwijl zijn hand langzaam naar een kronkelige tak bewoog die tegen zijn boekenkast geleund stond. Raaf had hem tijdens de vorige zomervakantie gevonden in het Zwarte Woud in Duitsland, een schitterende tak, bespikkeld met een laag felgeel korstmos. Maar wat nu honderdduizend keer belangrijker was: hij was behoorlijk dik, zodat je er fantastische meppen mee kon uitdelen!

Raaf haalde diep adem en sloop de traptreden af, zijn knoestige slagwapen in de aanslag, zijn oren en ogen wijd open. Bij elke trede schrok hij van het kraken dat hij zelf veroorzaakte. Bewoog daar beneden in de gang iets? Bij de voordeur hing een lang gordijn, waarachter zich gemakkelijk iemand kon verstoppen ... Raaf stond secondelang doodstil en probeerde te zien of het gordijn nu bultiger was dan gewoonlijk.

Plotseling voelde hij een vlaag koele ochtendlucht langs zijn blote benen strijken. Toen hij de keuken in keek, zag hij het. De keukendeur stond wagenwijd open en op de keukenvloer lagen glasscherven!

'Pap, mam!' brulde Raaf.

Sporenonderzoek

'De politie is onderweg,' zei Raafs vader, terwijl hij de telefoon neerlegde.

'Het is wonderlijk,' zei Raafs moeder hoofdschuddend. 'Er is niets weg, zelfs onze spiksplinternieuwe computer niet!'

'Misschien werd de dief gestoord door iets of iemand en heeft hij de benen genomen voordat hij iets waardevols te pakken had.'

'En dan te bedenken dat ik naast de woonkamer slaap,' jammerde Vikkie. 'Vette kans dat die inbreker naast mijn bed heeft gestaan terwijl ik sliep!'

Raaf dacht terug aan zijn droom en zei rillend: 'Hij is in ieder geval in mijn kamer geweest, want hij heeft mijn spijkerbroek van de stoel gegooid.'

Zijn moeder grinnikte: 'Ach ja, natuurlijk, op jouw kamer valt heel wat interessants te halen voor een insluiper: een vierarmige zeester, een adelaarsschedel of een uilenbraakbal!'

'Je reuzenei, Raaf!' riep Vikkie met schrille stem. 'Het is vast Kriep die hier heeft rondgeslopen!'

'Overdrijf niet zo, Vik,' zei Raaf kriegel. 'Zelfs Kriep is niet zo achterlijk dat hij voor een stom mega-ei inbreekt!'

De bel ging en Raaf schoot naar de voordeur om open te doen. Op de stoep stond een jongeman in een spijkerbroek en blauwe jas. In zijn hand droeg hij een zwart koffertje.

'Ha, Raaf!' grinnikte de man met pretlichtjes in zijn bruine ogen, en hij voegde eraan toe: 'Hier is de politie!'

'Oom Nop!' riep Raaf verbaasd uit. 'Moet jij onze inbraak onderzoeken? Gaaf!'

De broer van zijn moeder stapte de gang in. Op de rug van zijn stoere politiejas stond in witte letters: 'technische recherche'. Oom Nop, die eigenlijk Norbert heette, schudde handen in de woonkamer.

'Bakje koffie, Nop?' vroeg Raafs moeder.

'Nou, graag,' zei Nop, terwijl hij zijn koffertje openknipte.

Raaf zag schroevendraaiers, een schaar, pennen, tangetjes, een loep, kwasten en een heleboel verschillende potjes.

'Straks komen mijn collega's om proces-verbaal op te maken, maar ik doe vast het sporenonderzoek; ik was toch in de buurt.'

'Mag ik kijken, oom Nop?' vroeg Raaf gretig.

'Tuurlijk maatje, vertel me eerst maar eens wat er is gebeurd. Waar zijn de boeven binnengekomen?'

'Ik hoorde vannacht glasgerinkel, maar ik dacht dat ik droomde. Toen ik vanmorgen beneden ging kijken, zag ik dat de ruit van de keukendeur aan diggelen was!'

'En hebben jullie het glas al opgeruimd, of hebben jullie nog niet veel gelopen in de keuken?'

'We hebben alles precies gelaten zoals het was,' vertelde Raaf trots. 'Ik zei tegen iedereen dat het belangrijk was om nergens aan te komen!'

'Geweldig werk, compagnon,' zei Nop met een knipoog naar zijn zus. 'Dan kan ik mooi naar voetsporen speuren.'

Nop knielde op het linoleum en knipte een kleine, smalle zaklantaarn aan die hij op de vloer van de keuken legde. Toen boog hij zich voorover en tuurde geconcentreerd in de lichtstraal.

Raaf deed hetzelfde en riep verbaasd: 'Wow, wat een bende!'

De vloer had op de glasscherven na brandschoon geleken, maar in het strijklicht van de lamp werd elk stofje zichtbaar.

'We poetsen de keuken drie keer per week,' protesteerde Raafs moeder vanuit de deuropening.

'Tegen mijn zaklamp kan niemand op, zusje,' grinnikte Nop. 'Kijk eens naar die schoenafdrukken, Raaf. Jammer genoeg staan ze gruwelijk door elkaar; daar heb ik niets aan. Ik denk trouwens dat het jullie eigen schoenen zijn. Zie je, dat is een stukje zool van een Adidasschoen ... volgens mij is het de jouwe! Maar we zullen eens zien of we vingertjes kunnen vinden.'

'Vingerafdrukken,' begreep Raaf. 'Maar zijn boeven

tegenwoordig niet zo slim dat ze handschoenen dragen?'

'Gelukkig voor ons niet allemaal,' lachte Nop, terwijl hij terugliep naar zijn sporenkoffertje en er een dikke, zachte kwast en een potje uit tevoorschijn haalde.

Bij de keukendeur bleef hij een poosje zwijgend staan kijken voordat hij zei: 'De insluiper heeft de ruit eerst afgeplakt met tape en hem toen pas ingetikt. Hij hoopte natuurlijk dat de scherven aan de tape zouden blijven plakken in plaats van een hoop lawaai te maken. Maar dat is niet helemaal goed gegaan; vandaar dat jij glasgerinkel hoorde, Raaf. Daarna heeft onze vriend zoveel mogelijk stukken en punten uit het gat gehaald, heeft toen zijn hand erdoor gestoken en de sleutel omgedraaid ... Ik zal die sleutel eens kwasten.'

Nop draaide het deksel van het potje, doopte zijn kwast erin en bewoog die toen luchtig over de sleutel. Een wolk zilverkleurig poeder stoof de lucht in.

Raaf stond zo dichtbij dat hij er bijna van moest niezen. Op de sleutel werden de smalle lijntjes van een vingerafdruk zichtbaar!

Nop boog zich ernaartoe en bekeek de lijntjes nauwkeurig. Verbaasd mompelde hij: 'Hela, zoiets heb ik nog nooit gezien.'

Een rare snuiter!

'Wat heb je nog nooit gezien?' informeerde Raaf nieuwsgierig, terwijl Nop het beschermvelletje van een stuk zwarte folie prutste en de folie voorzichtig op de vingerafdruk aanbracht.

'Zo'n vingerafdruk,' zei Nop, en hij wreef flink over de achterkant van de folie, zodat de zilverbepoederde lijntjes er aan de voorkant aan vast zouden kleven. 'Hij lijkt heel anders dan een gewone vingerafdruk ... De lijnen en lussen hebben een merkwaardig patroon vol noppen.'

'Onze inbreker is een alien!' riep Vikkie, die vanuit de deuropening alles volgde.

'Daar zou je best eens gelijk in kunnen hebben,' grinnikte Nop. Hij trok de folie met de overgenomen vingerafdruk van de sleutel en vlijde het beschermvelletje er weer overheen. Met een pen schreef hij achterop waar hij de vingerafdruk gevonden had.

Nop vond ook nog een deel van een handafdruk buiten op de keukendeur, en hij verbaasde zich over de abnormaal lange vingers van de inbreker. 'Het lijkt me een rare snuiter,' zei hij hoofdschuddend. 'Misschien heeft hij wel een of andere geheimzinnige ziekte. Zeg Raaf, kun je een bananendoos of zoiets voor me opduikelen? Ik wil dat getapete glas meenemen naar het laboratorium op het politiebureau. Daar kan ik het onderzoeken om te zien of ik nog meer en duidelijkere vingerafdrukken vind.'

'Kan dat hier dan niet?' vroeg Raaf, teleurgesteld dat hij een deel van het onderzoek zou moeten missen.

'Nee, daarvoor kan ik beter iets anders gebruiken dan zilverpoeder,' zei Nop. 'Het is een goedje dat op pikzwarte inkt lijkt, en je moeder zou niet vrolijk worden als ik jullie gootsteen daarmee volkliederde.'

Raaf slenterde naar de schuur om een kartonnen doos te halen voor de glasscherven. Even bedacht hij verschrikt dat er misschien ook ingebroken was in de schuur, maar de schuurdeur en het raampje waren nog heel. Het elektrische gereedschap hing keurig netjes op zijn plaats en alle fietsen stonden er nog. Waar was die insluiper op uit geweest? Even vlogen de woorden van Vikkie door zijn hoofd: 'Hij zocht natuurlijk je reuzenei!'

Raaf reikte naar een plank, trok een wilgentenen mandje naar zich toe en haalde er een prop lappen uit ... daaronder lagen de resten van het reuzenei met het verpletterde jong. Er ontbrak geen scherfje of vlerkje. Het grote, zwarte, dode oog van het jong staarde hem spookachtig aan.

'Alsjeblieft,' mompelde Raaf. 'Hysterische meid.'

En hij haastte zich met een lege bananendoos naar oom Nop, die met zijn moeder stond te kletsen.

'Zeg Raaf,' zei zijn moeder, terwijl Nop de glasscherven voorzichtig in de doos legde, 'jij bent toch tot het hulpje van oom Nop gebombardeerd?'

'Ja!' zei Raaf vol verwachting.

'Dan kun jij mooi dat smerige zilverpoeder van de deur poetsen. Oom Nop zegt dat dat uitstekend gaat met een prop keukenpapier met afwasmiddel erop!'

Dreigende taal

'Misschien kwam de moederdraak vannacht haar jonkie wel zoeken,' giechelde Vikkie, terwijl ze toekeek hoe haar broer met een gezicht als een oorwurm het zilverpoeder van de keukendeur poetste. 'Draken hebben lange klauwen, weet je, en een hagedissenvel met noppen, precies zoals de afdrukken die oom Nop gevonden heeft.'

'Je bent zelf een draak en je moet je drakenkop houden,' snoof Raaf.

'Beter van niet, want ik moet je iets interessants vertellen. Ik bespioneer Kriep door mijn telescoop en weet je wat? Hij zit al urenlang achter zijn computer!'

'Boeiend,' bromde Raaf schouderophalend. 'Misschien zit hij wel vrolijk te chatten met zijn familie in Verweggistan.'

'Dûh, waar hebben ze het dan over? Naast zijn computer staat een microscoop waar hij tijdens het praten steeds in tuurt!'

Raaf liet zijn ogen wanhopig rollen. 'En wat wil je daarmee zeggen, mevrouw de briljante spion?'

'Dat hij op internet zoekt naar bomrecepten. Hij heeft gisteren toch iets opgeraapt van de stoep bij onze voortuin? Wedden dat het een stukje eierschaal was dat jij was vergeten? Dat zit hij nu natuurlijk te bestuderen, en vannacht heeft hij geprobeerd de rest te stelen!'

'Nou, dat is dan mooi mislukt,' snoof Raaf, terwijl hij weer driftig begon te boenen. 'Mijn ei ligt gewoon in de schuur waar ik het gisteravond neergelegd heb.'

'Dan heeft Kriep op de verkeerde plaats gezocht en probeert hij het binnenkort opnieuw, wedden?'

'Vik, doe niet zo belachelijk. Als Kriep eieren nodig heeft voor een bom, fietst hij wel naar de buurtsuper, oké? Daar kan hij ze zonder problemen in doosjes van tien kopen.'

'Hij heeft niet zomaar een willekeurig ei nodig, hij heeft natuurlijk jóúw ei nodig, wereldsukkel. Heb je al uitgevist van welk beest het afkomstig is?'

Raaf zette met een diepe zucht de fles afwasmiddel keihard op het aanrecht, zodat er zeepbelletjes uit spoten.

'Nee, geen flauw benul, daarom wil ik na dit rotkarweitje gaan internetten om erachter te komen. Maar een of andere kletskous houdt me met haar wilde verhalen eindeloos van mijn werk, waardoor ik niet opschiet.'

'Pff!' blies Vikkie verontwaardigd. Ze stak haar neus in de lucht en reed weg.

Twaalf minuten later zat Raaf achter zijn computer en zocht op allerlei sites naar plaatjes van eieren. Hij zag krokodilleneieren, hagedisseneieren, alle mogelijke soorten vogeleieren, slangeneieren, sprinkhaneneieren, visseneieren, haaieneieren en nog veel meer, maar niet één ei kwam precies overeen met zijn vondst. De grootte was goed maar de kleur verkeerd, of de kleur klopte ongeveer maar de grootte niet. Of het ei klopte maar het jong had geen vlerkjes, of het jong had vlerkjes maar het ei zag er totaal anders uit ... Na anderhalf uur gaf hij het op.

Piekerend speelde hij met zijn muis: hoe kwam dat stomme ei, dat blijkbaar verschrikkelijk zeldzaam was, zomaar op een fietspad vlak bij zijn huis terecht?

Zuchtend startte hij zijn msn-programma. Zijn zusje was online, zag hij. Snel roffelden zijn vingers over de toetsen:

hi vik, ben j nog boos? ☺ ☺

Er kwam geen antwoord, dus ze smeulde vast nog steeds zachtjes van woede. Raaf stelde zich voor hoe er pluimpjes witte rook uit haar oren kringelden en grinnikte: niemand kon zo meesterlijk woedend zijn als Vikkie! Als Kriep een echt goede, werkelijk fantastische bom zocht, kon hij maar het beste Vik in dienst nemen, want die kon ontploffen als de beste.

Plotseling klonk het heldere 'dong' waarmee de computer liet weten dat iemand zich had aangemeld. Raaf keek nieuwsgierig naar het kadertje rechtsonder, waar de naam 'The Killer Kip' verschenen was.

The Killer Kip? Hij kende niemand die zichzelf zo noemde. Met gefronste wenkbrauwen klikte Raaf hem aan. Zijn ogen werden zo groot als schoteltjes toen hij de zinnen las die op zijn beeldscherm verschenen:

he joch breng mijn ei om 2 uur naar loods 7 in de tas-
*manstraat en kom alleen!!!!! leg **ALLES** in de krijtcirkel*
binnen en smeer um. geen woord hierover tegen niemand
durf es want ik draai je nek om!!!!!!! en as je niet komt, weet
ik je te vinden vrind, precies as vannacht (leuk hoor die
blauwe pyjama met tijgerkop), en dan ben je nog nie jarig

The Killer Kip

Raaf hijgde alsof hij zojuist de besneeuwde pieken van de Mount Everest beklommen had. Hij staarde naar het angstaanjagende msn-bericht en slikte. Dat van die blauwe pyjama met tijgerkop klopte precies. Degene die deze dreigende woorden getypt had, had vannacht in zijn slaapkamer gestaan en toegekeken hoe hij sliep!

'Hoe komt die griezel op mijn msn?' fluisterde hij schor, maar plotseling raadde hij het. Met een verbeten gezicht rukte hij zijn bovenste bureaula open. Boven op een slordige stapel schoolschriften lag altijd een kladblaadje met het wachtwoord van zijn msn-account. Wat hij al vreesde, was waar: het kladblaadje was spoorloos verdwenen!

Minutenlang zat Raaf achter zijn computer, terwijl hij steeds opnieuw de bloedstollende zinnen las en alsmaar banger werd. Wat moest hij doen? Als hij oom Nop waarschuwde, of zijn ouders, zou 'The Killer Kip' hem iets verschrikkelijks aandoen! Als hij niet naar de loods ging, zou hetzelfde gebeuren ... Raaf rilde van ellende. Wat was er toch met dat rot-ei aan de hand, dat iemand zoveel moeite deed om het te pakken te krijgen? En wie was die iemand? Het leek wel of hij in een halfgare, nachtmerrieachtige actiefilm terechtgekomen was!

Driftig van machteloze woede veegde Raaf zijn tekenspullen en stripboeken van zijn bureau. Een kneedgum stuiterde van de vloer tegen de kledingkast en plompte in de vissenkom. Toen Raaf mopperend zijn arm tot aan zijn elleboog in het water liet zakken om het stomme stuiterding eruit te halen, schoot er een gedachte door hem heen. Misschien was er toch een manier om de identiteit van die geheimzinnige schurk te achterhalen! Hij stoof met een druipnatte arm naar beneden, struikelde bijna van de trap, en rende de slaapkamer van zijn zusje in.

'Vikkie, zit Kriep nog steeds achter zijn computer te koekeloeren?'

Vikkie was zo verbaasd dat ze vergat dat ze eigenlijk woest was op haar broer. Ze reed behendig naar haar telescoop en tuurde erdoor.

'Hij zit nog precies hetzelfde als daarstraks,' meldde ze. 'Misschien is hij wel aan zijn computer vastgegroeid. Waarom moet je dat weten?'

'Zomaar,' mompelde Raaf, en hij keek op zijn horloge: dertien uur tweeëndertig … Als Kriep de schurk was die hij zocht, zou hun overbuurman zo meteen zijn huis verlaten om het gebroken ei in de Tasmanstraat op te halen!

'Ik moet een uurtje weg,' zei Raaf tegen Vikkie, 'maar het is belangrijk dat Kriep ondertussen bespioneerd wordt. Wil jij hem in de gaten houden en alles opschrijven wat hij doet en wanneer?'

Vikkie kneep haar ogen tot smalle spleetjes en zei langzaam: 'Jij vindt hem nu dus ook opeens verdacht?'

'Als ik straks terug ben, zal ik het je allemaal uitleggen. Erewoord,' beloofde Raaf haastig. 'Aju paraplu!'

Loods zeven, Tasmanstraat

Het was bepaald geen lekker buurtje waar Raaf doorheen fietste toen hij op de Tasmanstraat afkoerste. Het was een oud, vervallen industrieterrein met verlaten loodsen van verroest plaatijzer, die allemaal verzakte daken en ingegooide ruiten hadden. Hoe verder hij kwam, hoe meer scheuren er in het asfalt zaten, waarin het gras welig tierde. Tussen het woekerende onkruid lagen glasscherven, oude autobanden, lege bierblikjes, opgewaaid papier en bergen gedumpt afval: vuilniszakken, kapotte kinderwagens, een bankstel waaruit metalen veren staken. Vlak voor Raafs band schoot een grote, bruine rat van de ene stapel rotzooi naar de andere. Raaf schrok zo van de snelle beweging dat hij bijna van zijn fiets kukelde.

Met bonkend hart reed hij verder en even later draaide hij scherp rondkijkend de Tasmanstraat in. Zou zijn bedreiger hem in de bouwvallige loods opwachten, of haalde hij de buit later op? Wist hij maar of Kriep die drammerige eierfreak was ... Achter een roestige container stopte hij en zocht het nummer van Vikkies mobieltje in het telefoonboek van zijn gsm.

'Met Raaf,' fluisterde hij toen ze opnam. 'Zeg Vik, zit Kriep daarginds nog achter zijn computer of is hij intussen vertrokken?'

'Geen flauw benul,' klonk Vikkies stem teleurgesteld. 'Hij trok twintig minuten geleden de gordijnen dicht, misschien omdat de zon in zijn beeldscherm schitterde.'

'Heb je hem niet zien weggaan, bijvoorbeeld op zijn fiets?'

'Hij is de voordeur niet uit gekomen, maar misschien is hij wel door zijn achtertuin verdwenen. Dat kan ik hiervandaan niet zien.'

Met een zucht drukte Raaf zijn mobieltje uit en mompelde nijdig: 'Nou weet ik nog noppes.'

Bij nummer zeven zette hij zijn mountainbike zachtjes tegen de hoek van de loods. Nergens was iets bijzonders te zien en het enige geluid in de omgeving was het gedempte geraas van een drukke verkeersweg, niet ver daarvandaan. Raafs knieën knikten toen hij met langzame passen naar de houten deur van de loods liep, het pakketje met het ongeluksei tegen zijn borst geklemd.

De deur was opengebroken en stond op een kier. In de bladderende verf stonden verse krassporen van het gereedschap waarmee de eierman, wie het ook was, zich kortgeleden brutaal een weg naar binnen gebaand had. Hij hackt niet alleen computers, hij hackt ook loodsen, dacht Raaf grimmig. Belachelijk: hij had het ei ook gewoon ergens buiten tussen het onkruid kunnen laten verstoppen!

Raaf tuurde aarzelend naar binnen. Zou The Killer

Kip daar naar hem staan te loeren? Het was er pikdonker, op de stoffige streep zonlicht na die door de nauwe deuropening viel. Raaf snoof. Er leek wel een schroeilucht te hangen in het krakkemikkige gebouw. Zou er ooit brand zijn geweest en rook je de verkoolde balken nog? Hij hoopte dan maar dat de boel niet op instorten stond!

Eindelijk vatte Raaf moed en duwde tegen de deur. Spookachtig, zonder één keer te kraken of te piepen, zwaaide de deur open, en Raaf schuifelde de loods in. Daar was het zo akelig stil dat hij het bloed in zijn oren kon horen gonzen. Zweetdruppeltjes kriebelden op zijn voorhoofd. Het duister leek net een dreigend, loerend beest dat zijn kans afwachtte om hem te bespringen. Bibberend sloop hij verder, op zoek naar een krijtcirkel op de smerige betonnen vloer.

Bijna achterin vond hij hem, slordig getekend tussen bergen hoog opgestapelde rommel. Raaf bukte zich om zijn pakketje neer te leggen, maar halverwege verstijfde hij. Vanuit zijn ooghoek had hij een schittering opgevangen in de donkere schaduwen vlak bij zijn rechterarm. Bewoog daar iets tussen de dozen? Een paar tellen stond hij stokstijf in zijn ongemakkelijke houding, te bang om te ademen. Hij probeerde het duister met zijn ogen te doorboren, maar hij zag niets. Hij moest het zich hebben verbeeld.

Heel langzaam legde hij zijn pakketje in de krijtcirkel. Hij tilde zijn voet op, klaar om naar de deur te rennen.

Plotseling klonk het geluid van een mobieltje dat afging, gevolgd door een knetterende vloek.

Het wordt menens!

Voordat Raaf kon maken dat hij wegkwam, werd er een stinkende jutezak over zijn hoofd getrokken. Hij kreeg zo'n harde duw dat hij achteruit struikelde, neerviel en meters doorrolde over de harde betonnen vloer. Hij schreeuwde als een speenvarken dat wordt geslacht. De deur van de loods sloeg dreunend dicht, zodat de ijzeren platen waarvan hij gebouwd was galmden.

Raaf bleef schreeuwen, terwijl hij zich kronkelend uit de zak wurmde. Daarna jammerde hij nog harder, omdat het buiten de jutezak even donker was als erbinnen, nu de deur van de loods was dichtgeslagen. In paniek strompelde hij door de inktzwarte duisternis, met zijn armen zwaaiend en op de tast zoekend naar de uitgang. Toen hij die eindelijk vond, durfde hij de deur niet te openen, doodsbenauwd dat zijn aanvaller hem buiten opwachtte. Maar na een paar minuten begreep hij dat hij hier moeilijk tot Kerstmis kon blijven zitten! Bibberend trok hij de deur op een kier, met zijn ogen knipperend tegen het felle zonlicht. Er gebeurde helemaal niets; buiten bleef alles rustig. Nadat hij al zijn moed verzameld had, knalde Raaf de deur wagenwijd open en stormde naar buiten, regelrecht naar zijn mountainbike. Hij sprong erop en spurtte weg alsof de duivel hem op de hielen zat.

Pas toen hij bij een drukke verkeersweg kwam, remde hij en schoot de stoep op. Zijn benen bibberden, hij klappertandde en in zijn maag zat een misselijkmakende knoop. Woedend veegde hij de tranen weg, die over zijn wangen biggelden. Verroest, hij was toch zeker geen watje! Er was niets gebeurd, hij was alleen zijn snert-ei kwijt. Nou, die rotzak die hem dit geflikt had, mocht het houden. Raaf wílde het ei niet eens meer hebben, feestelijk bedankt!

Langs de trottoirband stopte een donkerblauw busje. De bestuurder boog zich naar de passagierskant, waar het raampje openstond, en zei verrast: 'Raaf, je ziet eruit alsof je een spook gezien hebt!'

Het was oom Nop, en Raaf barstte in snikken uit.

'Wat is er in vredesnaam gebeurd?' vroeg Nop bezorgd toen hij het recherchebusje geparkeerd had. Hij had Raaf boven op een picknickbank geplant en gaf hem gloeiend hete thee te drinken uit zijn thermosfles.

'N.. niks,' stotterde Raaf, maar hij werd spierwit toen hij terugdacht aan de dreigende woorden op zijn computerscherm:

geen woord hierover tegen niemand durf es want ik draai je nek om!!!!!!!

Nop staarde zijn neef secondelang zwijgend aan en zei toen grimmig: 'Breng me dan maar eens vliegensvlug naar de plek waar niks gebeurd is; die wil ik wel eens zien!'

Raaf zette zijn mountainbike met een kabelslot aan een lantaarnpaal en stapte met gebogen hoofd naast Nop in het recherchebusje. Terwijl zijn oom door het verkeer manoeuvreerde, vertelde Raaf hakkelend over zijn angstaanjagende avontuur bij de loods. Alleen over zijn verdenkingen tegen hun overbuurman zei hij niets, omdat hij die opeens erg kinderachtig vond.

Nop kon zijn oren bijna niet geloven en zei stomverbaasd: 'Dus die insluiper van vannacht was uit op wat bloederige eierschaalscherven? Hoe bestaat het!'

Raaf haalde zijn schouders op en zweeg.

Nop riep via zijn autotelefoon assistentie in van zijn collega's. 'De overvaller is mogelijk nog in de buurt van de pd, dus graag spoed,' besloot hij.

'Wat is de pd?' vroeg Raaf, toen Nop het gesprek beëindigd had.

'Dat is de afkorting van "plaats delict", de plaats waar de misdaad gepleegd is,' legde Nop uit. Hij keek even opzij naar Raaf, die weer wat kleur op zijn wangen had gekregen, en zei met een plagende glimlach: 'In jouw geval dus de plaats waar niks gebeurd is.'

De recherche in actie

Toen ze bij de loods uitstapten, hoorden Nop en Raaf de gillende sirene van een politiewagen. Even later verdrongen twee agenten in uniform, twee collega's van de technische recherche en een officier van dienst elkaar tussen het onkruid.

'Waarom dragen die politieagenten een uniform en jullie niet?' fluisterde Raaf.

'Omdat ik een technisch rechercheur ben en zij zijn politie op straat,' vertelde Nop. 'Ik doe sporenonderzoek en kan dat opperbest in mijn dagelijkse kloffie doen, maar zij handhaven de openbare orde. Daarom moeten zij meteen herkenbaar zijn als politieagent, zodat raddraaiers weten: opgepast!'

Plotseling voelde Raaf een stevige hand op zijn schouder en hij keek om.

'Goedemiddag, vriend,' baste een zware stem. 'Ik ben meneer Wouters, officier van dienst. Dat betekent dat ik dit onderzoek leid. Ik begrijp dat jij het slachtoffer bent geworden van een brutale overval.'

Raaf voelde zich opeens mega-gewichtig en vertelde nogmaals het hele verhaal van de insluiping, de dreigementen en de gebeurtenissen in de vervallen loods.

'En heb je de overvaller gezien, Raaf?' informeerde meneer Wouters. 'Of heb je gezien hoe hij de benen heeft genomen, bijvoorbeeld op een fiets, een scooter, of in een auto?'

Raaf schudde spijtig zijn hoofd.

'Heb je motorgeluid gehoord?'

Raaf dacht diep na, maar schudde toen opnieuw zijn hoofd.

Tijdens het gesprek waren de technische rechercheurs begonnen met het fotograferen van de omgeving en het zoeken naar vingerafdrukken en andere sporen.

Een geüniformeerde agent, die naast meneer Wouters stond, deed een voorstel: 'Zullen we Toine met zijn speurhonden oproepen, meneer? Als die overvaller met de benenwagen is gevlucht, krijgt de hond zijn spoor misschien te pakken.'

De onderzoeksleider knikte weifelend.

'We zouden het kunnen proberen,' zei hij, bedachtzaam over zijn kin strijkend. 'Het onkruid dat hier overal woekert kan ons geluk zijn.'

Toen hij Raafs niet-begrijpende blik zag, lachte hij en vertelde: 'Om een mens te volgen, heeft een hond niet altijd per se een voorwerp nodig dat die persoon heeft aangeraakt. Als een schurk bijvoorbeeld wegrent over het gras, breken de sprietjes onder zijn voeten en komt er een geur vrij. Op die manier ontstaat er een geurspoor dat een goed getrainde politiehond kan volgen.'

'Dat lijkt precies een tekenfilm,' grinnikte Raaf, die het geurspoor in zijn verbeelding als een meterslang groen lint door de lucht zag slierten.

Meneer Wouters grabbelde een mobiele telefoon uit zijn binnenzak en toetste een nummer in. Terwijl hij overlegde met de hondenbegeleider, slenterde Raaf naar de loodsdeur, waar Nop intussen aan het werk was gegaan.

'Wat doe je?' vroeg hij aan zijn oom, belangstellend kijkend naar de felpaarse en de grijze pasta die Nop met een spatel op een plaatje aan het mengen was.

Nop wees met zijn pink op de krassen in de verf die Raaf al eerder opgevallen waren. 'Jouw vriend The Killer Kip heeft de deur opengebroken met een schroevendraaier of zoiets. Wonderlijk dat het hem gelukt is met zo'n lichtgewicht dingetje: die deur is behoorlijk zwaar; ik zou zelf een koevoet gebruikt hebben. Maar kijk, hier zie je deuken in het hout waar hij kracht heeft gezet; 'moeten' noemen we die. Ik ga er een afdruk van maken met tweecomponentenpasta.'

'Dat grijze en dat paarse spul?'

'Ja. Zodra ik dat meng, begint het langzaam rubberachtig te worden, zoals een flexibele schoenzool. Opgelet ...'

Met een handige beweging van zijn spatel smeerde Nop de tweecomponentenpasta met dikke klodders in de moeten die het gereedschap in de deur had achtergelaten. Daarna drukte hij op elke klodder een dun plastic plaatje.

'Waarvoor is dat?' informeerde Raaf.

'Alleen voor het gemak van degene die de pasta straks onder de microscoop gaat bekijken,' grinnikte Nop. 'Op deze manier wordt de achterkant van de klodder keurig recht zodat ie goed blijft liggen onder je lens.'

'Wat valt eraan te bekijken, oom Nop?'

'Da's voor jou een vraag en voor mij een weet, jochie. Wacht maar eens af ...'

Terwijl ze wachtten tot de pasta was uitgehard, leunde Nop tegen de loods en peinsde hardop: 'Het kan haast niet anders of die overvaller van vandaag en jullie insluiper van vannacht zijn dezelfde persoon, Rafie. Mijn collega Roel en ik hebben hier weer van die merkwaardige vingerafdrukken met noppen gevonden ... We moeten ze natuurlijk nog vergelijken, maar mijn kop eraf als ze van twee verschillende mensen zijn!'

Toen de pasta was uitgehard, trok Nop voorzichtig een klodder los. Hij haalde de loep uit zijn sporenkoffer en keek erdoor naar de rubberachtige afdruk. Toen lachte hij tevreden, gaf de klodder en de loep aan Raaf en zei: 'Bekijk dit maar eens.'

Nieuwsgierig nam Raaf de spullen aan en tuurde door de loep. Hij slaakte een kreet van verrassing. 'Er staan krasjes in dat spul, het lijkt wel een soort streepjescode!'

'Het ís een soort streepjescode,' zei Nop en hij legde uit: 'Als je een schroevendraaier gebruikt waar hij voor dient, namelijk om een schroef in te draaien, veroorzaak je krasjes op de punt. Dat maakt elke schroevendraaier uniek. Als het ons lukt om die eierrover op te pakken, gaan we in zijn spullen op zoek naar een schroevendraaier. De krassen daarop vergelijken we dan met de krassen in de pasta-afdruk, en als ze overeenkomen ...'

'Dan hebben jullie de dader!' riep Raaf enthousiast, maar zijn oom maakte kalmpjes zijn zin af: '... dan hebben we het bewijs dat met die bepaalde schroevendraaier de deur van deze loods is opengebroken. En dán moeten we nog bewijzen wie die schroevendraaier op dat moment in zijn handen had!'

'Ingewikkeld,' zuchtte Raaf. 'Ik zou zeggen dat dat dan wel zo duidelijk is als wat.'

'Een rechter eist deugdelijke bewijzen, jochie,' zei Nop, terwijl hij een opgestoken wijsvinger onder Raafs neus zwaaide. 'En dat is maar goed ook, anders zou ik jou er mooi in kunnen luizen door zo'n schroevendraaier in jouw gereedschapskist te smokkelen!'

Terwijl Raaf toekeek hoe Nop de klodders pasta veilig en gecodeerd opborg, hoorde hij opeens luid geblaf. De speurhonden waren gearriveerd!

Buddy vindt een spoor

Raaf gloeide van trots en opwinding dat hij zomaar mocht rondlopen op een echte 'pd'.

'Ik ga kijken bij de speurhonden!' riep hij, en hij stoof in de richting van het geblaf.

Meneer Wouters praatte met Toine, de hondenbegeleider. Ze stonden bij een bestelwagen waarvan de achterdeuren open waren. Toen Raaf naar binnen gluurde, zag hij twee grote metalen kooien met in ieder daarvan een opgewonden hond.

'Het valt te proberen,' zei Toine tegen meneer Wouters, zich eens achter de oren krabbend, terwijl hij met gefronste wenkbrauwen naar de enorme rotzooi in de omgeving keek.

Meneer Wouters wenkte Raaf dichterbij en vroeg: 'Weet je toevallig naar welke kant je overvaller verdwenen is?'

Raaf schudde verontschuldigend zijn hoofd.

'We zullen eens kijken,' zei Toine, en hij maakte de rechterkooi open. Een prachtige, bruinzwarte Mechelse herder sprong blaffend naar buiten. Toine klikte een lange lijn aan de halsband en vroeg met een knipoog: 'Zin om Buddy van dichtbij in actie te zien, knul? Loop zo meteen maar mee; blijf alleen wel dicht bij me om de sporen niet te verstoren.'

De speurhond jankte en hijgde opgewonden.

'Hij is mijn specialist menselijke sporen,' vertelde Toine, terwijl hij de viervoeter aaide. 'Een zogenaamde pd-hond. Ralph, mijn andere hond, is kampioen drugsopsporing; elke speurhond wordt voor een specifieke taak afgericht.'

'Net als speurhonden die na een aardbeving in het puin zoeken,' begreep Raaf, die dat in een documentaire op televisie had gezien.

'Precies,' zei Toine, 'en voor alle speurhonden geldt: hoe verser de sporen, hoe beter. Gelukkig heeft jouw schurk zich nog maar kortgeleden uit de voeten gemaakt.'

Hij gaf Buddy het bevel te gaan liggen. De speurhond zakte onmiddellijk gehoorzaam door zijn poten en ging op zijn buik liggen, maar hij klauwde zich vooruit over het beton, alsof hij elk moment zou wegspringen. Zijn oren waren gespitst en zijn tong flapperde uit zijn bek, spuugdruppels rondspetterend. Hij lette scherp op zijn baas.

'Nu weet hij dat we gaan beginnen,' vertelde Toine, en plotseling gebaarde hij met zijn arm en commandeerde: 'Zoek!'

Met een schelle blaf schoot Buddy ervandoor, zodat de lange lijn strak kwam te staan. Zigzaggend, kwispelend en kwijlend, zijn neus tegen de grond gedrukt, zocht hij een spoor. Eerst dribbelde hij onzeker op en neer voor de loods, snuffelend aan een vuilniszak die daar lag, rennend naar links en toen plotseling weer naar rechts. Maar opeens gaf hij een ruk aan de lijn en sprong naar voren, de hoek om.

'Hij heeft een spoor te pakken!' riep Toine, de lijn stevig vasthoudend en met één hand zijn gezicht beschermend toen hij door een warrige bos distels stoof.

Raaf rende de herdershond en zijn begeleider achterna. Buddy leidde hen zonder aarzelen langs drie vervallen gebouwen, een korte straat in en er via een verwilderde groenstrook weer uit. Op een kruispunt was hij het spoor even kwijt, maar hij rende zigzaggend over de gebarsten en overwoekerde betonplaten tot hij de geur weer oppikte in een smalle steeg tussen twee gebouwen die eruitzagen of ze vroeger autoshowrooms geweest waren.

Opeens viel de lijn slap en begon de speurhond scherp te blaffen.

'Hij heeft iets gevonden!' gilde Raaf.

Beter iets dan niets

Buddy stond woest te blaffen bij een bos brandnetels en keek belangstellend toe hoe Toine zich bukte om er tussen duim en wijsvinger een voorwerp uit te vissen.

'Braaf, Buddy, goed gedaan,' zei Toine, en gaf de hond een versleten tennisbal.

'Haalt u die tennisbal nou uit die brandnetels?' vroeg Raaf verbaasd, terwijl de hond er dol van blijdschap op kauwde. 'Heeft Buddy die gevonden?'

Toine moest hartelijk lachen en verklaarde: 'Welnee, maar Buddy moet het idee hebben dat hij die bal gevonden heeft. Zo train ik hem, snap je? De tennisbal is zijn beloning.'

'Waarom krijgt hij niet gewoon een snoepje of hondenkoekje?' vroeg Raaf.

'Als ik hem aldoor met hondenkoekjes beloonde, zou hij algauw een moddervette, waggelende politiehond zijn,' grijnsde Toine. 'En laten we nu maar eens kijken wat Buddy écht gevonden heeft.'

'Een portemonnee!' riep Raaf uit toen hij het ding zag, dat de hondenbegeleider omhooghield en daarna voorzichtig in een plastic zak liet verdwijnen.

'Numero uno,' zei Toine tevreden.

Maar meer vonden ze niet. Het spoor liep dood bij de

autosnelweg die langs het verlaten industrieterrein liep, dicht bij de plaats waar Buddy de portemonnee gevonden had.

'Ik was er al bang voor,' zuchtte Toine toen ze tegen het talud op waren geklommen en verslagen naar het voortrazende verkeer stonden te kijken. 'Ik had het lawaai van de auto's al gehoord, en in deze drukte krijgt Buddy het niet voor elkaar een spoor te volgen ... geen enkele speurhond, trouwens!'

Ze liepen terug naar loods nummer zeven, waar Nop en zijn collega's juist hun spullen inpakten.

'Niets bijzonders gevonden,' zei Nop met een grimmig lachje tegen zijn neef. 'Snap je nu het woord spoorloos?'

'Maar wij hebben wél een spoor!' gilde Raaf opgewonden, terwijl hij naar de speurhond wees. 'Buddy heeft een portemonnee gevonden!'

'Aha,' zei meneer Wouters, opeens een stuk vrolijker. 'Zit er toevallig een identiteitskaart of paspoort in, Toine?'

'Geen idee, meneer. Ik heb hem nog niet nader bekeken omdat ik geen handschoenen aan had.'

Nop had zijn sporenkoffertje alweer open en trok snel een paar latex handschoenen aan.

'Laat maar eens kijken,' riep hij met een gebaar naar de plastic zak waarin de portemonnee veilig opgeborgen zat.

Iedereen kwam vol spanning om hem heen staan, want met een beetje geluk kwamen ze nu te weten wie de schurk was! Maar Nops gezicht betrok, terwijl hij alle vakjes van de portemonnee grondig doorzocht.

'Alleen een bibliotheekpas,' zei hij beteuterd, 'en een rijtje spaarzegels van een drogist en twee losse eurocenten.'

'Welke naam staat er op die pas?' bromde meneer Wouters, die zijn teleurstelling stond te verbijten.

'Er staat geen naam op, alleen het logo van de bibliotheek, een nummer en een onleesbare handtekening.'

'Hij vormt in ieder geval een aanknopingspunt,' zuchtte meneer Wouters. 'Kwasten jullie hem zo meteen eerst even, jongens, dan hebben we de vingerafdrukken veiliggesteld en kunnen we met die pas naar de bibliotheek.'

'Ik bedacht zojuist, meneer …' zei Nop nadenkend, terwijl hij naar zijn neefje keek.

'Voor de draad ermee!'

'We hebben ook nog dat msn-bericht op Raafs computer; daar zouden de digitale luitjes mee aan de slag kunnen.'

'Verdraaid, je hebt gelijk. Daar heb ik niet meer aan gedacht!' riep meneer Wouters uit. 'Vertel eens snel, knul: heb je je computer afgesloten toen je van huis ging?'

Raaf zei verlegen: 'Ik moet hem van mijn vader altijd uitzetten als ik wegga, meneer, maar ik ben dat eh … in de haast vergeten.'

'Fantastisch! Ik bedoel: je vader heeft absoluut gelijk, maar wat ben ik blij dat je vandaag niet naar hem hebt geluisterd. Ik stuur direct een digitale rechercheur naar jullie huis; dan zet hij je computer uit. Hij doet dat op een speciale manier om te voorkomen dat er kostbare bestanden verloren gaan. Daarna neemt hij hem mee naar het bureau, jongeman. Sorry voor het ongemak.'

'Wat gaat hij ermee doen, meneer?'

'Hij gaat erin schatgraven: met wat geluk komt hij erachter wie dat msn-bericht naar jou verzonden heeft!'

Kriep weer!

Nop zette Raaf bij zijn mountainbike af, die nog steeds tegen de lantaarnpaal op het kruispunt stond.

'Ik moet ervandoor naar de bibliotheek, Rafie. Gaat het, op je eentje? The Killer Kip zal zich wel niet meer laten zien nu hij je ei heeft. Maar hier heb je mijn kaartje. Mijn directe nummer staat erop. Bellen als er iets is, oké?'

Raaf pakte het kleine witte kaartje met politielogo aan van oom Nop en frommelde het in de kontzak van zijn spijkerbroek. Toen trapte Nop het gaspedaal in en verdween het recherchebusje in het drukke verkeer.

Nog een beetje overdonderd door alle avonturen stapte Raaf op zijn fiets en sjeesde naar huis. Juist toen hij de straat in draaide, zag hij een donkere Volkswagen wegrijden, nagewuifd door Vikkie. Raaf remde met piepende banden naast haar en vroeg nieuwsgierig: 'Wie was dat, Vik?'

Vikkie riep: 'Dat was een rechercheur, Raaf. Superspannend, hij heeft je computer meegenomen om te kijken wie jou die dreig-msn gestuurd heeft!'

'Ssst,' siste Raaf geschrokken, 'moet de hele buurt het soms weten?'

Hij keek zo onopvallend mogelijk rond om te zien

of iemand op hen lette, bijvoorbeeld die onverbeterlijke roddeltante, mevrouw Heilzaam. Op de bovenverdieping van Krieps huis bewoog een gordijn! Misschien een windvlaag, want het raam stond wagenwijd open ...

Vikkie kneep venijnig in Raafs bovenbeen en zei verontwaardigd: 'Je had me moeten vertellen van dat msn-bericht, Raaf! Een beetje schijnheilig zeggen dat je een uurtje weg moet, hè? Vanaf nu doe ik mee, begrepen? Wat is er in vredesnaam allemaal gebeurd? Je bent de hele middag weggeweest!'

'Laten we naar binnen gaan, Vik. Daar zal ik je alles vertellen, en dan moet jij me vertellen wat Kriep allemaal uitgespookt heeft vanmiddag.'

Vikkie haalde haar schouders op en zei: 'Dan ben ik supersnel uitverteld. Sinds Kriep zijn gordijnen heeft dichtgetrokken, heb ik aan de overkant niets meer zien bewegen. Misschien ligt hij al urenlang te snurken.'

Raafs verhaal was heel wat interessanter! Met schitterende ogen luisterde Vikkie in haar slaapkamer naar het verslag van zijn avonturen. Hij eindigde met: 'En toen gaf oom Nop me zijn persoonlijke telefoonnummer!' Hij legde het kaartje van oom Nop op Vikkies bureau, naast haar telescoop.

'Ik wou dat ik erbij geweest was,' verzuchtte zijn zusje stikjaloers.

'Pfff,' blies Raaf verontwaardigd. 'Dat met die politieagenten en de recherche was vet gaaf, maar toen ik moederziel alleen in die pikdonkere loods was, en ook nog die jutezak over mijn hoofd kreeg, was het alleen maar afschuwelijk!'

'En je bent je drakenei kwijt.'

'Doe normaal, Vik, dat was geen drakenei. Maar het is wel foetsie, inderdaad.'

Buiten klonk het piepen van een roestige fiets en Raaf keek verstrooid de straat in. Plotseling schoot hij recht overeind en riep gesmoord: 'Daar fietst Kriep met een jutezak over zijn schouder!'

Met een paar slagen aan haar rolstoel was Vikkie naast hem en samen keken ze naar hun overbuurman, die met een jutezak over zijn rechterschouder zijn voortuin in zwieberde.

'Hij is dus wél weggeweest,' siste Vik, 'en nu komt hij terug met precies zo'n soort zak als jij over je hoofd hebt gekregen ... Wat zou erin zitten?'

Raaf kauwde zenuwachtig op zijn onderlip, terwijl hij toekeek hoe Kriep met de jutezak door zijn voordeur verdween.

'Het hoeft niets te betekenen,' zei hij aarzelend. 'Er zijn miljarden jutezakken op de wereld en de lafbek die mij overvallen heeft, is uren geleden verdwenen.'

'Heb je oom Nop verteld van Kriep?'

Raaf schudde langzaam zijn hoofd.

'Het is allemaal veel te vaag, Vik! Waar moet ik Kriep van beschuldigen? Mijn overbuurman is een enge griezel, want hij maakte een praatje met mij op de stoep voor mijn huis?'

'Hij stond te kletsen over een bom,' zei Vikkie koppig, 'en hij raapte iets op toen jij naar binnen was gegaan. Moet ik soms Douglas Brownie vragen ons te helpen met wat FBI-speurwerk?'

'Je laat het uit je bolle hoofd; oom Nop is met de zaak bezig! En trouwens ...'

Midden in zijn zin keek Raaf uit het raam. Toen riep hij paniekerig: 'En trouwens ... Kriep komt eraan!'

Kriep geeft het niet op

'Hij komt hierheen! Hij vermoordt ons!' gilde Vikkie met een lijkbleek gezicht.

'Doe normaal, je kijkt te veel televisie,' stotterde Raaf, terwijl hij met angstige ogen naar Kriep keek, die het tuinhek openmaakte. 'Misschien komt hij alleen maar de klopboormachine lenen of zoiets.'

'Papa en mama zijn niet thuis,' fluisterde Vikkie handenwringend.

Het tuinhek zwaaide knarsend open ...

Raafs gedachten flitsten razendsnel door zijn hoofd, terwijl hij als verlamd staarde naar de gestalte in djellaba die dichterbij kwam. Natuurlijk kon Kriep heel goed zo onschuldig als een pasgeboren lammetje zijn, maar stel je voor dat hij per ongeluk wél de gevaarlijke, geheimzinnige eierrover bleek te zijn!

'We doen gewoon niet open,' besliste Raaf met een bibberstem.

Ze doken onder de rand van Vikkies bureau en luisterden met bonzend hart naar de naderende voetstappen. Toen ging de voordeurbel. Raaf schrok zo van het geluid dat hij met een ruk overeind schoot en zijn hoofd keihard tegen het bureaublad stootte.

'Au!'

'Ssst, sukkel,' siste Vikkie benauwd. 'Als hij je hoort,

weet hij dat we wél thuis zijn!'

'Je bent zelf een sukkel,' snauwde Raaf, met een pijnlijk gezicht over een razendsnel opzwellende buil wrijvend.

Vikkie loerde voorzichtig over de rand van het bureaublad en fluisterde: 'Hij zoekt iets in zijn soepjurk, vast een pistool of zo.'

'Jawel hoor, misschien zelfs een mitrailleur,' snauwde Raaf, nijdig op zijn zus omdat ze altijd overdreef, en nijdig op zichzelf omdat hij in paniek begon te raken.

Weer ging de voordeurbel. Ze knepen hun ogen stijf dicht en luisterden, terwijl de seconden tergend langzaam wegtikten. Toen klepperde de brievenbus en de voetstappen verwijderden zich aarzelend.

'Hij heeft een briefje in de bus gedaan!' zei Raaf ademloos, en hij stoof gebukt de slaapkamer uit. Op de deurmat lag een stukje papier waarop in hanenpoten stond:

Jongen, ik wil je spreken over je ei. B.K.

Raaf maakte een jammergeluidje en liet het papiertje los alsof het opeens gloeiend heet geworden was. Het dwarrelde naar beneden.

'Wat is er?' vroeg Vikkie ongerust.

'Hij ... hij wil me spreken over mijn ei,' zei Raaf bibberend.

'Wat moet hij nou nog van je; hij hééft dat stomme ding toch?' zei Vikkie schril.

'Ik wou dat ik dat ongeluksei nooit gevonden had,' jammerde Raaf. 'Als ik geweten had ...'

Ze schrokken allebei op van een nieuw geluid: in de achtertuin liep iemand over het grind! Raaf kreeg kippenvel.

'Wegwezen,' riep hij gedempt, terwijl hij wegdook achter de antieke dekenkist die in de gang stond. 'Kriep komt achterom!'

Vikkie schoot achteruit haar slaapkamer in. Precies op tijd, want twee tellen later bonkte Balthazar Kriep op de achterdeur en schreeuwde: 'Hallo, is daar iemand?'

Raaf kreunde alsof hij ziek was en dook dieper weg achter de dekenkist. Maar Vikkie hield haar vijand liever in de gaten en gluurde voorzichtig om de hoek van haar slaapkamerdeur. Had ze dat maar niet gedaan! Precies op hetzelfde moment drukte Kriep zijn neus tegen de nieuwe ruit van de achterdeur en ze keken elkaar recht in de ogen!

Een belangrijke ontdekking

'Hij heeft me gezien!' jammerde Vikkie.
Kriep morrelde aan de klink en de achterdeur zwaaide open!

'Hallo, meisje daar,' zei hij, terwijl hij de keuken binnenstapte. 'Je broertje heeft gisteren ...'

Met een snoeiharde gil smeet Vikkie haar slaapkamerdeur dicht, Raaf alleen achterlatend in de gang, genadeloos overgeleverd aan hun overbuurman. Toen de voetstappen van Kriep naderbij kwamen, kwam hij bibberend overeind en deinsde achteruit.

'M.. maak me niet dood,' smeekte hij, zijn armen afwerend opgeheven.

'Dat merkwaardige ei ...' begon Kriep.

'Ik heb het vanmiddag toch al gegeven, ik weet verder helemaal niks van dat snert-ei,' onderbrak Raaf hem jammerend.

Hij botste met zijn rug tegen de voordeur. Kriep kwam met een uitgestrekte arm op hem af, zijn vingers gespreid. Hij was nog maar een meter van Raafs keel verwijderd, een halve meter ...

Toen kwam de hand zachtjes op Raafs schouder neer en de man in djellaba zei, terwijl zijn wenkbrauwen verwonderd dansten: 'Waarom bibber je zo, jongen? Ik doe je toch niets.'

Zijn woorden klonken verbasterd omdat Nederlands niet zijn moedertaal was, maar Raaf verstond zijn overbuurman goed. Zijn gezicht kleurde langzaam vuurrood, en hij stotterde: 'Gaat u me dan niet vermoorden?' Dat klonk zo belachelijk dat hij nog roder werd.

Kriep glimlachte bedroefd. 'Waarom denken Nederlandse mensen altijd dat mannen met een baard en een djellaba iedereen willen doodmaken? Jij moet eens kennismaken met mijn wonderschone cultuur, jongen, maar niet vandaag; vandaag moeten we belangrijker dingen doen.'

'O ja?' vroeg Raaf onnozel.

'Zeker. Ik ben bioloog, weet je, en de eierschaalscherven die ik gisteren op de stoep zag liggen, interesseren me bijzonder.'

Raaf voelde zijn keel kurkdroog worden, maar hij perste de woorden dapper naar buiten: 'Inderdaad: u wilt er een bom van maken!'

Hij kromp ineen, want hij verwachtte een oplawaai, maar Kriep sloeg niet. Hij tilde zijn hand niet eens op. Hij keek alleen maar stomverbaasd, en barstte toen in schaterlachen uit.

'Hoe kom je dáárbij? Wie maakt er nou bommen van eieren?' hikte hij, toen hij eindelijk weer een woord kon uitbrengen.

Raaf stotterde verward: 'Gisteren zei u: ik ben benieuwd in welke bom ... of zoiets!'

'O, dát,' grinnikte Kriep. 'Ik zei niet: in welke bom ...

ik zei: in welke bóm!'

'Ik hoor het verschil niet,' snauwde Raaf, die het steeds warmer kreeg, omdat hij het gevoel had dat hij ontzettend voor joker stond. Die stompzinnige Vikkie ook. Waarom had ze hem op zulke idiote ideeën gebracht?

'Dat komt door mijn accent,' legde Kriep geduldig uit. 'Als ik bom zeg, bedoel ik zulke dingen met bladeren en takken.'

'Een bóóm!' riep Raaf.

'Precies; ik zag aan de eierschaal en het jonkie dat het een zeer speciaal exemplaar moest zijn, en ik wilde graag weten bij welke boom je zoiets gevonden had. Maar je liet me niet uitpraten, jongen, je rende het huis in alsof de duivel je op de hielen zat.'

'Dat komt omdat ...' stotterde Raaf, die het liefst ter plekke in de grond zou willen zakken.

'Dat komt omdat alle volwassenen je wijsmaken dat mannen in soepjurken met baarden slecht zijn,' grinnikte Kriep geamuseerd. 'Zulke kerels zijn oliedom, kunnen alleen smerig werk doen, maar eigenlijk zijn ze ook daar nog te lui voor, nietwaar?'

Raaf toverde een ongelukkig lachje op zijn gezicht en flapte eruit: 'Ja, en ze zitten de hele dag in geheime achterkamertjes plannetjes te maken om allerlei dingen op te blazen!'

'Oho ...' fluisterde Kriep met een dreigend gezicht en zwaaiend met zijn wijsvinger, 'maar ik héb wel eens wat opgeblazen!'

Raaf keek hem geschrokken aan en vroeg: 'Wat dan?'

Kriep gaf hem een dikke, vette knipoog en zei: 'Een feestballon!'

Bloedstollend nieuws

'Waarom lachen jullie?' klonk het argwanend uit Vikkies kamer.

'Kom maar gerust, Vik. Meneer Kriep is oké!' riep Raaf.

'Ik ben niet gek! Misschien dwingt hij je wel dat te zeggen!'

'Echt niet! Kom nou maar!'

'Nee!'

Raaf haalde zijn schouders op, maar Vikkies boze weigering bracht hem weer aan het twijfelen. Daarom vroeg hij aarzelend aan Kriep: 'Mag ik uw handen eens zien?'

Verbaasd voldeed Kriep aan dat verzoek en hield zijn handen onder Raafs neus. Die bekeek nauwkeurig Krieps vingers, en toen zei hij opgelucht: 'Uw vingers zijn niet belachelijk lang en de lijntjes op uw vingertoppen zijn doodnormaal, dus u kunt die laffe schurk niet zijn.'

'Welke laffe schurk?' vroeg zijn overbuurman nieuwsgierig.

'De schurk die er met mijn mega-ei vandoor is,' legde Raaf uit.

'Is het verdwenen?' riep Kriep verschrikt. Hij wrong zijn handen en jammerde: 'O, maar dat is een vreselijke ramp: met dat ei is iets héél merkwaardigs aan de hand!'

'Wat dan?' vroeg Raaf nieuwsgierig. 'En hoe kunt u dat weten?'

'Ik vertelde toch dat ik bioloog ben? Ik heb in mijn moederland gestudeerd aan de universiteit in de hoofdstad en de hoogste graad gehaald, maar in Nederland lukt het me niet om een baan te krijgen. Daarom verzamel ik tweedehands spullen die ik repareer en verkoop, terwijl ik wacht op betere tijden. Ondertussen beoefen ik mijn prachtige beroep als hobby, in een slaapkamer die ik als laboratorium heb ingericht. Toen jij met je pakketje naar binnen was gerend, heb ik een stukje dat je vergeten was, opgeraapt. Ik bofte, want het was een stukje eierschaal waaraan wat resten van het onvolgroeide jong gekleefd zaten, genoeg voor mij om ...'

Kriep stopte midden in zijn zin, omdat er buiten opeens loeiende sirenes klonken, die razendsnel dichterbij kwamen.

'Politie!' schreeuwde Raaf, en hij rukte de voordeur open om te kijken wat de politie in hun straat kwam doen. 'Ze stoppen bij ons!' riep hij verbaasd uit toen twee agenten in uniform uit de politieauto stapten en met lange, snelle passen het tuinpad op liepen. Achter hun voertuig stopte een donkerblauw recherchebusje en daaruit sprong een bezorgde oom Nop.

'Raaf!' schreeuwde hij. 'Is alles goed met jou en Vikkie?'

'Natuurlijk,' begon Raaf verwonderd, maar toen

knalde Vikkies slaapkamerdeur open en kwam zijn zus met een vaart naar buiten.

'Ik heb oom Nop gebeld, Raaf!' gilde ze. 'Je weet wel, zijn kaartje dat je op mijn bureau had gelegd. Ik heb hem verteld dat we aangevallen werden door de eierrover en hij komt ons bevrijden!'

'We werden helemaal niet aangevallen, slome meid,' onderbrak Raaf haar nijdig. 'Meneer Kriep komt ons iets vertellen over mijn mega-ei, en het zal je wel spijten te horen dat het géén drakenei is!'

Er klonk een kuchje achter zijn rug en een zachte, verontschuldigende stem zei: 'O ... maar dat is het nou juist wél.'

'Een drakenei?' vroeg Nop even later, toen de politieagenten vertrokken waren. Inmiddels waren de ouders van Raaf en Vikkie ook thuisgekomen. Ze zaten met z'n allen achter dampende koppen tomatensoep, behalve meneer Kriep, die beleefd had bedankt omdat de soepballetjes van varkensvlees waren. Hij hapte gretig in een boterham met pitjeskaas, en zei kauwend: 'Er is iemand aan het knoeien met varaneneieren, meneer de rechercheur.'

'Wat zijn varanen? Zijn dat draken?' vroeg Vikkie.

Raaf, die niet voor niets een natuurfreak was, wist het: 'Varanen zijn hagedissen die meer dan twee meter lang kunnen worden, hè meneer Kriep?'

'Zeker, jongeman, en ze hebben uitstekende ogen, een

voortreffelijk reukorgaan, kunnen klimmen en zwemmen als de beste, zijn razendsnel, lenig en ... giftig!'

'En iemand hier in de stad knoeit met hun eieren, beweert u?' vroeg Nop met een diepe frons.

'Inderdaad, rechercheur, iemand experimenteert met kruisingen. Daarom herkende Raaf de eierschaal niet; er is een totaal nieuwe hagedissensoort ontstaan.'

'Maar waarom zou iemand zoiets doen?' vroeg de moeder van Raaf en Vikkie verwonderd.

'Als je het mij vraagt, heeft onze knutselaar misdadige plannen, gezien de moeite die hij heeft gedaan om zijn kostbare schat weer in handen te krijgen,' zei Nop grimmig. 'En hij wil blijkbaar dolgraag dat zijn smerige plannetjes geheim blijven. Fokt hij een soort supervaraan, meneer Kriep, wat denkt u?'

Meneer Kriep tekende met zijn wijsvinger kringetjes op de keukentafel en aarzelde. 'Ik zei u al dat het ei in feite een soort drakenei is, rechercheur,' zei hij ten slotte. 'Ik vond cellen die er helemaal niet in thuishoren: cellen van de vliegende hond, een grote vleermuizensoort. Dat zou de vlerkjes verklaren die het jong op zijn rug had. Vliegende honden kunnen een spanwijdte hebben van bijna twee meter.'

Meneer Kriep keek Nop strak aan toen hij vervolgde: 'Daarom wilde ik zo graag het complete ei onderzoeken, meneer. Stelt u zich maar eens een kruising voor tussen een reuzenvaraan en een reuzenvleermuis. Op het gevaar af dat u me voor gek verklaart: ik vrees dat iemand hier in de stad een draak probeert te fokken, en het is hem nog aan het lukken ook!'

Het net sluit zich ...

Het bleef even doodstil aan de keukentafel. Toen kraaide de stem van Vikkie triomfantelijk: 'Zie je wel, Raaf! Ik zei het toch!'

Nop schudde langzaam zijn hoofd en mompelde: 'Ik verklaar u absoluut niet voor gek, meneer Kriep. Integendeel, wat u daar vertelt maakt veel duidelijk over een ontdekking die we in de bibliotheek hebben gedaan.'

Raaf schoot overeind op zijn keukenstoel: 'Wat hebben jullie ontdekt?'

'De bibliotheekpas was vals, zoals we al vermoedden; maar een aardige, behulpzame bibliothecaresse vond het nummer op de lijst van pasjes die deze maand gebruikt zijn bij het kopieerapparaat van de bibliotheek. Onze collega van de digitale recherche, Wout Noyens, dezelfde die jouw computer heeft opgehaald, Raaf, heeft eens rondgeneusd in het geheugen van dat kopieerapparaat en ... bingo!'

'Wat?' vroegen Vikkie en Raaf precies tegelijk, terwijl ze ademloos naar oom Nop keken.

'Wout kan in het geheugen van een kopieerapparaat precies zien welke documenten zijn gekopieerd. De eigenaar van onze valse bibliotheekpas heeft wagonladingen vol kopieën gemaakt van ... drakenboeken.'

Raafs vader schudde met verbijsterde ogen zijn hoofd

en bracht uit: 'Dan is hij toch knettergek?'

'Zo knetter is hij niet,' vervolgde Nop, 'want hij heeft ook gekopieerd uit boeken over fokken, kruisen, stamcelonderzoek en DNA-techniek.'

'Dat klinkt geleerd,' gaf Raafs vader toe. 'Die laatste twee technieken worden toch gebruikt om te knutselen met menselijke en dierlijke cellen, zodat de eigenschappen veranderen?'

'Inderdaad. Daarom lijkt deze meneer behoorlijk gevaarlijk. We moeten hem zo gauw mogelijk in zijn kraag grijpen! Gelukkig gebeurde er een wondertje toen we in de bibliotheek bezig waren … een van de bibliothecaressen dacht dat ze de eigenaar van die biebpas kende!'

'Hebbes!' juichte Raaf, en hij bonkte met twee vuisten op tafel zodat de soepkoppen rinkelden.

'Ik zei "wondertjé",' grinnikte Nop. 'Voor grote wonderen moet je iets meer geduld hebben, neef. Die bibliothecaresse kon alleen beschrijven hoe onze drakenfokker er waarschijnlijk uitziet; hij was haar al een paar keer opgevallen omdat hij altijd diep zit weggedoken in zijn capuchon. Vorige week meldde hij dat het papier in het kopieerapparaat op was. Fenne, onze getuige, heeft er nieuw papier in gedaan en terwijl ze daarmee bezig was, zag ze dat er een hele stapel drakenboeken klaarlag om gekopieerd te worden. Ze maakte er nog een grapje over, maar die kerel gromde alleen maar wat.'

'Hoe ziet hij eruit?' vroeg Raaf nieuwsgierig.

'Hij is ongeveer zo lang als ik, draagt een vettige,

groene jas met grote capuchon en een spijkerbroek. Op de achterkant van zijn vuilwitte sportschoenen staat een opvallende rode ster en ...' Nop keek veelbetekenend naar Raaf voor hij verderging: 'Hij heeft idioot lange vingers, zei ze.'

'De inbreker!' zei Raaf ademloos. 'En de overvaller in de loods!'

'Ja, Raaf, alles wijst erop dat het de man is die we moeten hebben. Meneer Wouters heeft een handvol agenten met het signalement op pad gestuurd voor een buurtonderzoek. Misschien treffen ze iemand die ons meer kan vertellen!'

Nop schoof zijn soepkop weg en zei: 'Ziezo, morgen weer een dag. Zeg Raaf, zou je morgen met me willen meerijden naar het politiebureau? Ik heb hier een klusje in de buurt en daarna zou ik je kunnen oppikken. De tactische recherche moet je belevenissen in de loods nog noteren!'

'Tactische recherche?' vroeg Raaf verwonderd.

'Wij van de technische recherche doen het sporenonderzoek,' legde Nop uit, 'en onze collega's van de tactische recherche ondervragen verdachten en getuigen. Samen vormen we een team.' Hij wendde zich tot meneer Kriep, die stil en ernstig had zitten luisteren: 'En gaat u dan ook mee, meneer? We willen ook heel graag uw verhaal noteren en verder onderzoeken.'

'En ik mag zeker niet mee?' vroeg Vikkie jaloers.

'Nee, logisch,' grijnsde Raaf. 'Het enige wat jij gedaan hebt, is je bibberend opsluiten in je slaapkamer. Wat valt dáárover nou te vertellen?'

Hagedissenhuid

De volgende morgen tegen halftwaalf zaten meneer Kriep en Raaf in het recherchebusje van Nop, toen die een oproep over de mobiele telefoon kreeg. Hij drukte een toets in en zei: 'Vertel het eens.'

'Hoi Nop, kan het soms zijn dat je gisteren vergeten bent de portemonnee van de drakenman in het laboratorium af te geven?'

Beteuterd zei Nop: 'Verhip, je hebt gelijk, Jouke. Ik heb hem nog in mijn bus liggen.'

'Geeft niet, maar de jongens hebben een drogist gevonden die de drakenman eergisteren waarschijnlijk in zijn winkel heeft gehad. Zijn vrouw denkt bijna zeker van wel. Ze heeft hem zelfs spaarzegels gegeven. We willen daarom dat ze even de zegels checkt, die jullie gisteren in de portemonnee hebben aantroffen.'

'Okidokie,' zei Nop, 'ik ben al onderweg.'

Raaf vond het onverwachte ommetje helemaal niet erg! Hij stond er met zijn neus bovenop toen Nop in de drogisterij met latex handschoenen aan de portemonnee uit de bewijszak viste en naar de zegeltjes zocht.

'Hij zette zijn fiets met zo'n knal tegen de etalage dat ik bang was dat de ruit zou breken, en toen kocht hij brandzalf,' zei de drogisterijvrouw met blozende wan-

79

gen en een zenuwachtige blik op de geüniformeerde agent tegenover haar. 'Ik heb het allemaal aan deze meneer verteld. Die brandzalf kostte zeveneneenhalve euro en ...'

Nop onderbrak haar en hield een strookje blauwgroene zegeltjes omhoog: 'Dat heeft hem zeven spaarzegels opgeleverd, klopt dat?'

'Precies, meneer, dat klopt, en dat zijn onze spaarzegels!' zei de vrouw stralend, alsof ze geslaagd was voor een heel moeilijk examen.

'Ik heb jammer genoeg zijn gezicht niet goed gezien, want hij hield zijn capuchon op en zijn hoofd gebogen, maar zijn handen waren ... griezelig.'

'Griezelig?' zei Nop fronsend, terwijl hij de portemonnee terug in de plastic zak stopte. 'Hoezo griezelig?'

Raaf spitste zijn oren.

'Ik zag het toen hij betaalde,' ratelde de vrouw. 'Zulke lange vingers heb ik nog nooit gezien! En zijn huid zag er gewoonweg bizar uit; hij had een soort schubben!'

'Het lijkt wel of die eierrover zelf een soort hagedis is,' fluisterde meneer Kriep verbaasd tegen Raaf.

Toen ze eindelijk op het politiebureau kwamen, liet Nop meneer Kriep en Raaf achter onder de hoede van Rachid, een tactisch rechercheur die ook in het onderzoeksteam van de 'drakenzaak' zat. Ze spraken anderhalf uur met hem en vertelden zo nauwkeurig mogelijk alles wat ze gezien en ontdekt hadden.

'Mogen we uw stukje eierschaal misschien lenen als bewijsmateriaal, meneer?' vroeg Rachid beleefd aan Kriep, waarop die met een lachend gezicht een plastic trommeltje uit zijn djellaba tevoorschijn toverde.

'Ik dacht al dat jullie dat zouden vragen en daarom heb ik het maar vast meegebracht.'

Nop stak zijn neus om het hoekje van de deur en vroeg: 'Zijn jullie uitgebabbeld? Heb je zin om het forensisch laboratorium te zien, Raaf? Dat is het laboratorium waar we alle sporen onderzoeken, die we gevonden hebben op een pd. Ik heb ook belegde broodjes, want jullie zullen wel rammelen. U mag natuurlijk mee, als u nog een ogenblikje tijd hebt, meneer Kriep; dan breng ik jullie daarna naar huis.'

Raaf was al opgesprongen en riep: 'Kan het even, meneer Kriep?'

Kriep lachte vrolijk. 'Ik vind het machtig interessant, Raaf!'

Nop leidde hen door een aantal lange gangen, waarbij hij regelmatig met zijn magneetpasje een deur openmaakte. Toen gingen ze een betegelde ruimte binnen waar in het midden een grote tafel stond, en langs de kanten allerlei apparaten, een glazen kast, een spoelbak en een aantal computers. Een collega van Nop zat over de tafel gebogen toen ze binnenkwamen.

'Roel is de vingerafdrukken die we op jullie keukendeur gevonden hebben aan het vergelijken met de afdrukken die we op de deur van de loods gevonden hebben,' legde Nop uit.

Raaf en meneer Kriep bekeken de uitvergrote foto's die Roel voor zijn neus had. Het duizelde Raaf van de lijnen en lussen: het leek wel of Roel twee doolhoven met elkaar zat te vergelijken! Op sommige plekken had hij met rode stift een cirkel gezet.

'Ik moet ten minste twaalf overeenkomsten vinden,' vertelde Roel. 'Dan gelden deze afdrukken voor de rechter als bewijs dat beide misdrijven door dezelfde persoon gepleegd zijn. Want er zijn geen twee mensen op de hele wereld die dezelfde vingerafdrukken hebben!'

'Ook niet als The Killer Kip een tweelingbroer heeft?' vroeg Raaf slim.

Roel lachte: 'Dan nóg hebben ze verschillende vingerafdrukken. Kijk maar eens op vingerafdrukken.nl.'

Nop zei spijtig: 'Helaas zijn we die rare afdrukken niet tegengekomen in ons bestand. Dan zou het simpel zijn geweest!'

'Bestand?' vroeg Raaf nieuwsgierig.

'Van iedereen die de politie oppakt, worden vingerafdrukken genomen,' legde Roel uit. 'Die worden bewaard, met de naam erbij!'

Meneer Kriep had zich afgewend en stond bij de glazen kast te kijken naar de witte damp die erin rondzweefde. Aan een metalen knijper bovenin hing een zwart voorwerp.

'Dat is de portemonnee van onze mislukte kip,' zei Nop, die met Raaf naar de kast liep. 'Ik probeer er in

onze opdampkast vingerafdrukken van af te halen. Als ze hetzelfde zijn als de afdrukken op de deuren, is dat alweer een bewijs!'

'Vingerafdrukken zoek je toch met zilverpoeder?' vroeg Raaf, die zich zijn schoonmaakbeurt nog levendig herinnerde.

'Op deze manier kan het ook, en nu we toch in het laboratorium zijn, is het gemakkelijker. In de opdampkast wordt secondelijm verwarmd totdat de damp eraf slaat. Als die in aanraking komt met een vingerafdruk, slaat de afdruk wit uit.'

'Waarom doe je dat in een opdampkast?'

'Omdat die lijmdampen hartstikke giftig zijn, jochie. Die wil je niet in je longen hebben.'

Nop vertelde nog veel meer over alles wat in het laboratorium te zien was, en voor ze het wisten, was er een halfuur voorbij. Tegen die tijd had Roel twaalf overeenkomsten omcirkeld en hij rekte zich met knakkende vingerkootjes uit.

'Eigenlijk had ik de rechter zo ook wel kunnen vertellen dat deze vingerafdrukken van dezelfde persoon afkomstig zijn,' zei hij. 'Ze zijn zó anders dan gewone afdrukken!'

Meneer Kriep knikte langzaam, terwijl hij nog eens goed naar de foto's keek en zei: 'Het patroon lijkt op dat van een hagedissenhuid!'

Roel fronste zijn wenkbrauwen en tikte met de achterkant van zijn stift op de tafel. 'Misschien heeft onze vriend een of andere ziekte, of is hij ooit verbrand geweest.'

Dat deed Raaf plotseling aan iets denken. 'Zeg, oom Nop, die vent die zichzelf The Killer Kip noemt heeft toch brandzalf bij die drogist gekocht, hè? Toen ik gisteren bij de deur van de loods in de Tasmanstraat stond, rook ik een schroeilucht ...'

Goed denkwerk

'Wat wil je daarmee beweren?' grinnikte Nop. 'Dat onze Kip brandde van verlangen naar zijn ei?'

'Welnee,' zei Raaf geërgerd, 'maar stel je voor dat hij echt draken probeert te maken ... draken kunnen vuurspuwen!'

'Inderdaad, in dat geval kun je beter voor de zekerheid een flink voorraadje brandzalf in huis hebben,' zei Nop met een uitgestreken gezicht. 'Maar ik begrijp nog steeds niet waar je heen wilt.'

'Naar de Tasmanstraat natuurlijk!' riep Raaf. 'Als The Killer Kip hagedissen kruist en al die moeilijke technische dingen doet, die hij in bibliotheekboeken heeft opgezocht, moet hij ergens een laboratorium hebben! Misschien bevindt zich dat laboratorium met die vuurspuwende draken wel in die loods ... in een lege loods hangt toch niet zomaar een schroeilucht?'

Nop proestte: 'Jochie, we hebben die wrakkige loods helemaal uitgekamd en ik verzeker je: we zijn er niet één draak tegengekomen, zelfs geen piepkleintje! Je hebt waarschijnlijk te veel sciencefictionfilms gezien.'

Een vuurrode kleur kroop naar Raafs wangen. Nop keek op zijn horloge en riep: 'Veertien uur vijfenveertig, ik moet jullie als de gesmeerde bliksem terugbrengen!

Ik heb nog bergen werk, en aan het eind van de middag een karweitje in het Westachtereind.'

Op de terugweg werd niet veel gezegd, maar zodra ze waren uitgestapt en de recherchebus van Nop wegreed, kuchte meneer Kriep en zei: 'Raaf, jongen, wat dacht je ervan als wij samen eens een kijkje gingen nemen in de Tasmanstraat?'

'Gelooft ú mij dan wel?' vroeg Raaf verrast.

'Ik heb dat belangwekkende ei immers zelf onder mijn microscoop gehad! En die Killer mag zich dan Kip noemen, een kippenei was het zeker niet!'

Haastig vertelde Raaf: 'Weet u, op het politiebureau bedacht ik opeens dat er zich misschien een kelder onder die loods bevindt. Een bedrijf dat er vroeger in gezeten heeft, kan daar best een magazijn of zoiets gehad hebben!'

'En nu vermoed jij dat The Killer Kip, of hoe die schurk in werkelijkheid ook heet, daar zijn laboratorium en fokkerij heeft ingericht? Goed mogelijk, alleen vraag ik me af: waarom zou die bandiet jou bevelen dat ei naar het hol van de leeuw te brengen?'

Raaf schudde heftig zijn hoofd en riep: 'Dat is juist het slimme: niemand verwachtte dat hij me daarnaartoe zou lokken! Nop vond het merkwaardig dat zo'n zware loodsdeur was opengebroken met een simpele schroevendraaier ... maar misschien zijn die krassporen er expres op gezet, om mensen te laten denken dat er ingebroken is. De deur piepte of kraakte helemaal niet toen ik hem opendeed! Dat betekent dat de scharnieren gesmeerd zijn ... supervreemd voor een gebouw dat al lang leegstaat!'

Meneer Kriep woelde peinzend door zijn baard en zei bewonderend: 'Prima denkwerk! Door daarna te vluchten en zogenaamd te verdwijnen in de verkeersdrukte, leidde The Killer Kip alle aandacht en sporen weg van de loods ... niemand zal hem dáár nog gaan zoeken.'

'Behalve wij!' zei Raaf grimmig.

Even later fietsten ze samen naar de Tasmanstraat, Raaf op zijn mountainbike, meneer Kriep op zijn roestige fiets. Daar aangekomen lieten ze hun fietsen achter en gingen de laatste vijftig meter naar nummer zeven behoedzaam te voet. Het was maar goed dat ze voorzichtig waren, want toen ze de loods bijna bereikt hadden, zwaaide de deur plotseling open!

'The Killer Kip!' siste Raaf geschrokken, en hij en meneer Kriep schoten vliegensvlug achter een verwilderde struik.

Een kerel, gekleed in een spijkerbroek en vuilwitte sportschoenen, kwam met een gammele, roestige fiets aan zijn hand de loods uit. Hij was diep weggedoken in de capuchon van zijn vettige, groene jas. Schichtig bewoog hij zijn hoofd van links naar rechts voordat hij op zijn fiets stapte en onder erbarmelijk gepiep van de assen wegreed.

Raafs hart roffelde een vette drumsolo. 'Wat een geluk, hij is foetsie!' jubelde hij. 'Nu moeten we daarbinnen als de bliksem dat laboratorium zoeken!'

Hij wilde naar de deur stuiven, maar meneer Kriep pakte zijn schouder beet en waarschuwde: 'Iemand van ons moet op de uitkijk blijven staan!'

'We hebben maar een paar minuutjes nodig,' smeekte Raaf, 'en twee vinden vlugger iets dan één alleen! Zodra we een glimp van dat laboratorium opvangen, rennen we naar buiten en bellen de politie!'

Meneer Kriep gaf zich gewonnen en ze snelden naar de deur. Die was tot hun verbazing niet afgesloten.

'Misschien is Kip een nieuw slot halen,' bedacht Raaf. 'Het oude is natuurlijk bij die zogenaamde inbraak kapotgegaan.'

Dit keer was hij goed voorbereid op de duisternis: hij had een zaklamp meegenomen. Hij liet de lichtbundel door de loods dansen en stuurde hem naar een reusachtige stapel dozen achterin bij de rechterwand.

'Daarachter is misschien de kelderingang,' opperde hij, 'want toen ik hier de vorige keer was, sprong die gemene drakenkerel tevoorschijn uit die stapel.'

Meneer Kriep probeerde een paar dozen te verschuiven ... en voelde tot zijn verrassing hoe gemakkelijk dat was! 'Halfleeg,' concludeerde hij. 'Die zijn vast bedoeld om iets te camoufleren!'

Hij schoof meer dozen weg en ze ploegden zich een weg door de berg, opgewonden en op goed geluk een richting kiezend.

'Pas op!' waarschuwde Raaf plotseling.

Voor hun voeten gaapte een trapgat ...

Valdemar Megalomaan

'Beneden brandt licht,' siste meneer Kriep geschrokken in Raafs oor.

Raaf haalde zijn schouders op en grinnikte: 'Ik laat ook altijd licht branden als ik weg ben. Mijn moeder geeft me daarvoor vaak genoeg op mijn donder! Het komt juist goed uit, want nu kunnen we dat laboratorium goed zien!'

Meneer Kriep keek ongemakkelijk over zijn schouder en zei: 'We moeten naar buiten om de politie te bellen!'

'Even naar beneden, een minuutje maar; kijken wat we ontdekt hebben!' smeekte Raaf.

Hij sprong opgewonden de trap af, terwijl meneer Kriep hem aarzelend volgde. Beneden was een deur die wagenwijd openstond. Raaf stapte naar binnen en bleef met open mond van verbazing staan.

Hij staarde ongelovig naar de witte, betegelde ruimte met blinkende tafels vol microscopen, ingewikkelde apparaten, reageerbuizen, branders, computerschermen, papieren en boeken. De linkerwand van het laboratorium was bedekt met glazen broedmachines waarin reusachtige, gespikkelde eieren sudderden onder hun warme lampen. De rechter- en achterwand verdwenen voor de helft achter rijen kooien en glazen bakken vol hagedissen in alle soorten, kleuren en maten. Maar de blik van de twee speurders werd onmiddellijk getrokken naar het midden van de ruimte: daar stond een grote, open, glazen bak waarin een kolossale varaan zat, wel drie meter lang ... met op zijn rug een paar uitgroeisels die op vleermuisvlerkjes leken!

'Is hij niet verrukkelijk drakerig, mijn pronkstuk?' klonk een kille stem achter hun rug.

Met een ruk draaiden meneer Kriep en Raaf zich om ... Ze keken recht in de loop van een pistool! Ze verstijfden van schrik, maar toen zagen ze het misvormde gezicht van de man die het op hen richtte, en werden nog veel banger. Zijn gezicht was langgerekt en zijn neus was vergroeid met zijn bovenkaak, waardoor alleen twee kleine neusgaatjes zichtbaar waren. Langs zijn ogen liepen twee dikke, harde plooien naar beneden waardoor zijn ogen, twee kraalachtige, kwaadaardige ogen, te ver naar de zijkant gedrukt waren. Hij had geen hoofdhaar en zijn huid was bedekt met dikke schubben ... deze man leek precies een hagedis!

'The ... the Killer Kip,' stotterde Raaf met grote, bange ogen. 'U was toch weg?'

De hagedisman snoof minachtend en snauwde: 'Je bedoelt ongetwijfeld mijn tweelingbroertje met zijn belachelijke schuilnaam – de stuntel die mijn grootse onderneming dreigt te verpesten met zijn stommiteiten.'

'Wie ... wie bent u dan?' vroeg Raaf.

'Valdemar Megalomaan, en mijn broertje is Jacco Megalomaan. De dokters zeggen dat Jacco en ik aan een zeldzame ziekte lijden, maar ik noem het geen ziekte … wij zijn de eerstelingen van een superras dat spoedig de wereld zal veroveren, en ik zal de leider zijn!'

De hand met de griezelig lange vingers die het pistool vasthield, maakte een beweging naar de broedmachines, kooien en bakken.

'Voor dat doel kweek ik mijn eigen leger van draak-mensen: kruisingen van vleermuizen, hagedissen en mijn eigen fantastische lichaamscellen. De vorderingen zijn veelbelovend, zoals jullie wel zien aan mijn schitterende, gevleugelde vleervaraan daar in het midden. Ik moet de vlerken nog wat verder ontwikkelen, maar daarna kan ik menselijke cellen gaan toevoegen. Het mooiste is … mijn vleervaraan is zo vergiftig als de hel!'

De hagedissenmond van Valdemar Megalomaan spleet open in een weerzinwekkende grijns en hij siste: 'Jullie komen als geroepen … Ik ben precies op het punt aangeland dat ik vrijwilligers nodig heb voor mijn expe-rimenten. Ik stel voor dat jullie die lege kooi daar bin-nenlopen, vervolgens de sleutel omdraaien en die naar mij toe gooien.'

Hij gebaarde met zijn pistool. Meneer Kriep en Raaf keken wanhopig om zich heen op zoek naar een ont-snappingsmogelijkheid.

'Doe geen moeite,' grinnikte Valdemar. 'Ontsnappen aan een pistool lukt alleen in films, maar in het echt houd je er akelige gaatjes aan over.'

Hij lachte bulderend om zijn eigen grapje, maar hij stopte abrupt toen er een ijzingwekkende schreeuw klonk boven aan de trap!

Een reddende engel

Bonkend en krijsend kwam de man in de vettige, groene jas de betonnen treden afgetuimeld! Voordat Valdemar Megalomaan opzij kon springen, knalde zijn broer in volle vaart tegen hem aan. Valdemar werd weggeslingerd als een steen uit een katapult, vloog door het laboratorium en belandde met een snerpende gil in de glazen bak van de vleervaraan. Bliksemsnel schoot het monster toe en zette zijn reusachtige tanden diep in het bovenbeen van zijn meester!

Alles gebeurde in minder dan vijf seconden, en meneer Kriep en Raaf stonden verdwaasd te kijken naar de twee broers, van wie de een brullend lag te kronkelen in de varanenbak en de ander duizelig probeerde overeind te krabbelen. De vettige capuchon was van zijn hoofd gevallen, en nu was goed te zien dat ook Jacco Megalomaan hagedissentrekken had, hoewel veel minder dan zijn broer Valdemar.

Gelukkig kwam meneer Kriep eerder bij zijn positieven dan de schurk die van de trap geduikeld was, en hij raapte vliegensvlug het pistool op dat Valdemar had laten vallen toen hij gelanceerd werd. Hij richtte het op Jacco en schreeuwde: 'Blijf daar, op de grond. Houd je handen achter je hoofd!'

Toen hoorden ze allemaal sirenes buiten en een meisjesstem boven aan de trap riep: 'Daar is de politie!'

'Oom Nop!' riep Raaf opgelucht toen de technisch rechercheur de trap af kwam stormen, achter vier geüniformeerde agenten met getrokken pistool aan.

'Raaf, meneer Kriep,' riep Nop ongerust. 'Stelletje eigenwijze domkoppen, mankeren jullie niets?'

'Wij zijn nog helemaal heel,' zei Raaf, een beetje bibberig lachend, en wijzend op Valdermar Megalomaan: 'Maar hij daar niet. Bel maar gauw een ambulance, want hij is gebeten door een giftige varaan!'

'Hoe komt de politie zo plotseling hier?' vroeg meneer Kriep verbouwereerd, terwijl drie agenten toeschoten om Valdemar Megalomaan te bevrijden en de vierde Jacco een paar handboeien omdeed.

Nop antwoordde: 'Ik besprak de vingerafdrukken op de portemonnee met onze spoco, toen ik me plotseling iets belangrijks herinnerde.'

'Spoco?' lachte Raaf.

'Dat is de verkorte naam voor onze bovenstebeste sporencoördinator. Hij is de politieman die alle sporen van een misdrijf verzamelt en vergelijkt. We spraken met elkaar over het drakenonderzoek, toen het opeens tot me doordrong dat ik niet voldoende aandacht had geschonken aan een merkwaardig feit. Ik kon me wel voor mijn kop slaan!'

'Wat was dat dan? En wat heeft dat met deze loods te

maken?' vroeg Raaf nieuwsgierig.

Ze stapten opzij om de politieagenten met hun arrestanten de ruimte te geven.

'Ik krijg jullie nog wel! Ik verpletter jullie! De wereld behoort toe aan de draakmensen!' krijste Valdemar Megalomaan schuimbekkend.

'Zie eerst het varanengif maar eens te overleven,' suste een politieagent, en hij sleurde met een collega de woest tegenstribbelende, waanzinnige geleerde de trap op. Buiten arriveerde een ambulance met gillende sirenes.

Nop ging onverstoorbaar verder: 'Toen we gisteren deze loods onderzochten op vingerafdrukken, heb ik een roestige fiets tegen die kartonnen dozen zien staan ... en pas bij de spoco herinnerde ik me met een schok dat er vers onkruid tussen het achterwiel en het spatbord hing! Die fiets was dus nog niet zo lang geleden gebruikt ...'

'En toen ben je als de wiedeweerga hierheen geracet,' begreep Raaf.

'Nou en of! Ik ken mijn neefje een beetje, en ik bedacht dat jij best eens op eigen houtje achter die schroeilucht aan kon gaan. Dat zou prima zijn als de loods ongevaarlijk was, maar plotseling twijfelde ik daaraan! Daarom trommelde ik twee surveillancewagens op. Nu ga ik bellen om assistentie, want we krijgen hier heel wat te onderzoeken!'

'Maar wie duwde Jacco van de trap?' mengde meneer Kriep zich in het gesprek. 'Toen hij die valpartij maakte, waren jullie nog helemaal niet gearriveerd.'

'Gelukkig was er een reddende engel,' grinnikte Nop. 'Jullie raden nooit wie er boven aan de trap ongeduldig op ons wacht.'

'Hela!' klonk de meisjesstem die ze eerder gehoord hadden nijdig. 'Waar blijven jullie nou? Dacht ik van de partij te zijn, mis ik door die misselijke trap nog alle lol!'

'Vikkie!' riep Raaf stomverbaasd.

Brief van oom Nop, twee weken later

Hoi Raaf,

Je hebt waarschijnlijk al wel van je moeder gehoord dat ik bij een politieactie gisteren geraakt ben door een verdwaalde kogel. Meestal verschijnen wij van de technische recherche pas ná de misdaad op het toneel, maar hier bleken de boeven onverwachts nog in de buurt te zijn om een belangrijk bewijsstuk te verdonkeremanen. Het waren net cowboys.
Wees gerust, ik ben alweer op de been en ik mag morgen of overmorgen waarschijnlijk naar huis. Omdat ik van de fysiotherapeute moet oefenen met mijn rechterarm, schrijf ik je een echte ouderwetse brief in plaats van je te bellen of te e-mailen.
Weet je wie ik hier tegenkwam? De arts die Valdemar Megalomaan behandeld heeft! Wat hij me vertelde is sensationeel: het varanengif van die lelijke beet twee weken geleden heeft onze drakenman geen kwaad gedaan, integendeel ... het blijkt een soort tegengif tegen zijn zeldzame ziekte te zijn! Zijn gezichtstrekken worden steeds menselijker, en zijn schubben veranderen langzaamaan in zachtere, gladdere huid. Zijn broer Jacco wordt nu ook dagelijks ingespoten met het varanengif. Die is dolblij, maar Valdemar is woedend. Jammer voor hem, maar hij moet zijn superras-van-draakmensendroom voorgoed vaarwel zeggen!

Heb je je computer alweer teruggekregen van Wout Noyens? Hij heeft geprobeerd het spoor van jouw dreig-msn terug te volgen via de inlognaam, maar dat is niet gelukt. Toen is hij heel slim naar de bibliotheek gegaan en heeft daar alle computers grondig onderzocht. Alle berichtjes die iemand via internet verstuurt, blijven bewaard in het geheugen, zelfs als ze gewist zijn! En jawel hoor, op een van de harde schijven vond Wout de tekst van The Killer Kip. Het drei-gement kon gelinkt worden aan het nummer van de leners-pas, waarmee het gebruik van internet in de bieb betaald moet worden.

Misschien heeft Wout je de rest al verteld, want het onder-zoek is inmiddels aardig afgerond. Jacco was van de twee tweelingbroers het minst mismaakt. Hij moest van Valde-mar daarom alle klusjes buitenshuis opknappen, natuurlijk altijd diep weggedoken in zijn capuchon, zodat niemand zijn hagedissengezicht kon zien. Op een dag, tweeënhalve week geleden, moest hij boeken terugbrengen naar de bibli-otheek, maar hij verwisselde per ongeluk een van de tassen met een gewatteerde tas waarin het drakenei zat dat jij gevonden hebt. Die stond klaar bij de broedmachines, om-dat Valdemar het ei in dit stadium met röntgenapparatuur wilde bestuderen. Jacco ontdekte de verwisseling pas in de drogisterij, toen hij brandzalf kocht voor een blaar die Val-demar opgelopen had. De schroeilucht in de loods, tussen haakjes, kwam van de bunsenbranders in het laboratorium beneden, waarmee Valdemar bepaalde proeven deed.

Na zijn bezoek aan de drogisterij, op weg naar de biblio-

theek, verloor Jacco het vleerdraakei op het fietspad! Zodra hij bij de inleverbalie de lege, gewatteerde tas zag, is hij als een speer teruggefietst, maar toen was het al te laat. Hij zag nog juist hoe jij het van het wegdek schraapte en hij is jou gevolgd naar huis. Dat was het begin van alle avonturen; de rest weet je.

Ik moet je nogmaals feliciteren met die jaloerse, nieuws-gierige en eigenwijze zus van je, die jou en Kriep in haar elektrische rolstoel gevolgd is naar de loods 'om de lol niet te missen'. Als zij Jacco bij zijn terugkomst niet had laten strui-kelen boven aan de trap, was het Valdemar waarschijnlijk gelukt om jullie als gijzelaars te gebruiken bij onze komst, en dan had deze draak van een zaak bijzonder slecht kun-nen aflopen! Haar kennende geeft ze je geen kans die hel-dendaad snel te vergeten ... arme jij. Geef die bovenstebeste meid maar een knuffel van me.

Doe ook Balthazar Kriep de groeten. Ik begreep van je moeder dat jullie dikke vrienden geworden zijn en als twee rasbiologen elk vrij uurtje over de microscoop gebogen zit-ten om diertjes, plantjes en dingetjes te bekijken. Op het moment dat jullie je eerste, echte, vuurspuwende draak in elkaar geknutseld hebben, word ik graag uitgenodigd op het feestje!

Dag Raaf, stevige knuist van
oom Nop.

Dankwoord

Heel hartelijk dank aan de rechercheurs van de technische recherche van Politie Brabant Noord in Den Bosch.
Ik mocht een kijkje achter de schermen nemen en zoveel vragen stellen als ik wilde ... Daarom klopt alles wat je in dit boek over de politie hebt gelezen.

Monique van der Zanden

Hennie Molenaar
Spion voor de prins

'Kan ik niets anders doen?' vroeg Marnix.
'Je zou eigenlijk tevreden moeten zijn. Je wilde zelf het
leger in; daar hoort dit werk bij. Maar goed …' zijn
vader dacht even na. 'Er is wel iets. Ik weet alleen niet
of je daar geschikt voor bent.' 'Wat dan?'
'We hebben onopvallende jongens nodig, die bekijken
hoe de situatie in Den Bosch is en dat aan ons
doorgeven.' 'Spioneren!' riep Marnix enthousiast.

Marnix wordt spion voor de prins en het lukt hem de
belegerde stad binnen te komen. Daar ontmoet hij
Geertrui. Zij hoort bij de vijand, maar Marnix vindt
haar erg aardig. Kan dat eigenlijk wel?

Met tekeningen van Camila Fialkowski

Lorna Minkman
Hemelbeesten

Hester en Kirsten zijn hartsvriendinnen. Ze zien elkaar bijna iedere dag. Hester woont met haar vader
en broer Bastiaan op Hazelaar 12, Kirsten met haar
moeder en zusje Maayke op nummer 18. Alles gaat
goed, tot die ene dag ...
Op die bewuste middag vindt Hester een foto die
hun vriendschap in gevaar brengt. Waarom heeft
haar vader zo verliefd zijn armen om Kirstens moeder
heen geslagen? Hester wil geen afscheid nemen van
haar vertrouwde wereldje. Om het gepieker te
stoppen, schrijft ze aan Yelena, een zelfverzonnen
hemelbeest. Dat lucht enorm op. Maar dan vindt
haar broer de oranje map ...

Met tekeningen van Joyce van Oorschot

Bies van Ede
De drie weesjongens

'Ze zeggen ...'
'Ja, dat heb ik ook gehoord ...'
'Wat vreselijk! Hoe moet het nu verder?'
'Niemand weet het!'
Als dat soort dingen gefluisterd wordt, weet iedereen
dat er iets ergs aan de hand is. Niemand weet precies
wát, dus iedereen bedenkt zelf iets. 'Er is een monster
in de stad gekomen. Het heeft zijn nest onder de Dom-
kerk gemaakt!' zeggen sommige mensen. 'Het bewaakt
een goudschat! Het gaat pas weg als het drie jonkvrou-
wen krijgt,' vertelt weer iemand anders.

Wat zou er aan de hand zijn in Utrecht?
De drie weesjongens gaan op onderzoek uit. Beleef hun
avontuur mee!

Met tekeningen van Yolanda Eveleens